SOYONS COPAINS!...

SOYONS COPAINS!...

#5

KATE KENYON

traduit de l'anglais par
Marie-Claude Favreau

Les éditions
Héritage inc.

Données de catalogage avant publication (Canada)

Kenyon, Kate

  Soyons amis !

  (Entre amis).
  Traduction de: The night grade to the rescue.
  Pour adolescents.

  ISBN 2-7625-3204-3

  I. Titre. II. Collection.

PS23.K46So 1988   j813'.54   C88-096644-0

Junior High, The Eighth Grade to the Rescue
Copyright © 1987 by Carol Adorjan
Publié par Scholastic Inc.

Version française
© Les Éditions Héritage Inc. 1989
Tous droits réservés

Dépôts légaux : 1er trimestre 1989
Bibliothèque nationale du Québec
Bibliothèque nationale du Canada

ISBN : 2-7625-3204-3   Imprimé au Canada

Photocomposition : Deval Studiolitho Inc.

LES ÉDITIONS HÉRITAGE INC.
300, Arran, Saint-Lambert, Québec   J4R 1K5
(514) 875-0327

CHAPITRE 1

— Il se passe quelque chose d'anormal, fait remarquer Nathalie à son amie Sophie tandis qu'elles approchent de l'école.

Comme tous les matins avant la cloche, leurs camarades de classe sont installés sur les marches de l'entrée principale. Au pied de l'escalier, dans ses vêtements d'armée, Jérémie s'amuse sur sa planche à roulettes.

— Tout me paraît normal, répond Sophie.

— Personne ne parle, fait Nathalie.

En effet, le groupe qui d'habitude est plutôt bavard, regarde en silence dans la même direction. Tout le monde est tellement absorbé par ce qui se passe, que personne ne remarque l'arrivée des deux amies.

— Qu'y a-t-il? demande Sophie.

— Denise et *Antoine*, répond Dorothée avec de grands yeux rêveurs.

Sophie suit le regard de Dorothée. Hors de portée de voix, Denise Ricard, ses cheveux blonds luisant dans le soleil matinal, se tient face à son frère, Antoine.

Sophie se met à rire.

— À t'entendre, on dirait que tu n'as jamais vu ce garçon.

— Ça fait des mois que je l'ai vu, fait Dorothée.

Personne, pas même Denise, n'a beaucoup vu Antoine depuis qu'il sort avec Guylaine Hamel. Denise s'est d'ailleurs souvent plainte du changement survenu chez son frère. Mais il y a une semaine, elle a annoncé:

7

«Guylaine et Antoine ont rompu. Les choses vont enfin redevenir normales!» Cependant, à la voir gesticuler, on dirait bien que rien n'est réglé.

— Ils se disputent? demande Sophie, incrédule.

Denise et Antoine ont deux ans de différence mais ils ont toujours été très proches l'un de l'autre. Leur famille, qui possède une compagnie de produits de beauté, a beaucoup voyagé et ils se sont toujours soutenus mutuellement d'un déménagement à l'autre. Avant de revenir dans leur ville natale, ils fréquentaient une école en Suisse.

Lucie Amman passe sa main dans ses cheveux noirs frisés.

— Comment peut-on se disputer avec *lui*?

— Il est tellement beau! fait Dorothée.

Le visage parsemé de taches de rousseur de Jérémie apparaît devant elles.

— Je ne savais pas que tu l'avais remarqué, dit-il en faisant un profond salut.

— Oh, pour toi, Dorothée, tout ce qui porte pantalon est merveilleusement beau! s'exclame Suzanne Hillard en ignorant Jérémie.

— Cette fois-ci, elle a raison, fait ce dernier. Il prend une pose de culturiste, tourne la tête vers la droite et bande ses biceps.

Alexandre Rivard s'avance derrière lui en riant.

— Laisse tomber, Jérémie. C'est de moi qu'elles parlent.

— Qu'est-ce que tu fais ici? lui demande Jérémie.

D'habitude, Alexandre entre dans l'école en passant par le bâtiment qui abrite les classes des secondaires III, IV et V. Quand les filles se retournent pour observer ce jeune de secondaire II traverser leur territoire, il s'imagine toujours que c'est son regard électrisant qui les éblouit et ça le rend tout heureux.

Jérémie donne un coup de poing amical à Alexandre.

— Pour qui me prends-tu? s'exclame Alexandre en lui rendant, avec violence cependant, son coup de poing.

Les filles s'écartent un peu pour mieux voir.

— Il est beau, fait Mia en parlant d'Antoine, mais il ne sait pas s'habiller.

Sophie et Nathalie échangent des regards amusés. Mia affectionne plutôt le style punk. Aujourd'hui, ses cheveux en pointes orange et mauve sont assortis à son immense chandail en coton orange, sa camisole mauve qui paraît à l'épaule, son pantalon en cachemire et ses bottes d'armée noires.

— Ça ne prendrait pas grand-chose, poursuit-elle. Un collier de chien en cuir lui irait à merveille.

Son petit ami, Dani Rousseau, a toute une collection de colliers de chien, un pour chaque jour de la semaine et même un en faux diamants, réservé aux événements spéciaux.

— Moi, je le trouve merveilleux, fait Dorothée.

— Avec vos alligators et vos chevaux sur tous vos chandails, vous pourriez monter un zoo, toi et Antoine, se moque Suzanne.

Sophie s'apprête à défendre Dorothée quand Mathieu Dupuy fait son apparition. Il s'amuse à lancer une balle de base-ball dans les airs.

— Qu'est-ce que vous regardez? leur demande-t-il.

— Antoine la pivoine, répond Jérémie en se penchant pour prendre sa planche. Elles sont démentes. Encore folles d'un gars plus vieux qu'elles. Ce fameux syndrome de la recherche d'un père.

Les garçons approuvent de la tête.

Les filles se mettent à rire. Antoine n'a que seize ans !

— Jérémie a raison, réplique Mathieu. Souvenez-vous de ce bon vieux Cliff.

Quelques mois auparavant, Cliff Rochester a remplacé leur professeure d'anglais, madame Richard, qui allait avoir un bébé. Les garçons n'ont pas oublié la folie amoureuse qui a secoué leurs amies à cette époque. Les filles non plus. D'ailleurs, elles trouvent encore monsieur Rochester très séduisant. Mais, à présent, elles pensent à lui comme à un professeur et non plus comme à un amoureux.

La cloche sonne. Tout le monde rassemble ses affaires et se rue sur les portes. Sophie reste en arrière. Elle a toujours détesté voir des gens se chamailler mais la dispute entre Denise et son frère l'accable encore plus. Elle pense à sa propre relation avec son jeune frère, Éric. Eux aussi, comme Denise et Antoine, ont de bonnes raisons d'être proches l'un de l'autre : ils ont perdu leur mère alors qu'ils étaient tout petits. Bien sûr, Éric est trop jeune pour être son confident, mais Sophie espère que dans un an ou deux cela changera.

Antoine a empoigné Denise par le bras. S'il ne la lâche pas bien vite, elle sera en retard.

— Denise ! crie Sophie à son amie. Dépêche-toi !

Denise se dégage, monte l'escalier en courant et entre dans l'école. Sophie, tout en tenant la porte ouverte, jette un regard derrière elle. Antoine est resté immobile. Il semble perdu.

« Tout cela est tellement triste », se dit Denise en se rendant à son casier. Voir son grand frère, d'habitude si enjoué, si confiant, se conduire comme un imbécile à cause de cette Guylaine Hamel ! Ce seul nom la rend furieuse. Elle n'a jamais aimé Guylaine qui la traitait comme une enfant de cinq ans, l'appelait la « petite soeurette d'Antoine ».

Denise ouvre d'un coup sec la porte de son casier. Le petit miroir qui y est accroché lui renvoie l'image d'un visage anxieux. « Guylaine Hamel ne ressemblerait jamais à ça », se dit-elle.

Antoine trouve Guylaine parfaite. Trop parfaite. Une perfection plastique. Guylaine sent toujours le fixatif pour cheveux. Et ses ongles ! Grotesques ! Elle a toujours avec elle du vernis pour les retouches, et le jour où elle s'est cassé deux ongles au cours d'informatique, elle a quitté la classe. Même à ce moment-là, Antoine n'est pas revenu sur terre.

C'est cela le pire. Elle est triste de voir son frère souffrir autant. En même temps, elle est déçue qu'il soit tombé amoureux d'une fille comme Guylaine. En Suisse, Denise aimait toutes les amies d'Antoine. Jusqu'à l'apparition de Guylaine, elle s'est toujours vantée auprès de ses amies de l'école du bon goût de son frère.

Jérémie suit le couloir en zigzaguant sur sa planche à roulettes. Soudain, il aperçoit monsieur Dumouchel, le directeur, à l'autre bout du couloir ; il saute de sa planche et pose le pied à l'extrémité pour pouvoir l'attraper.

— Vite ! dit-il en tendant sa planche à Denise. Il vient par ici ! Mets ça dans ton casier !

En regardant Jérémie droit dans les yeux, Denise ferme son casier puis tourne les talons.

Jérémie n'a pas le temps de protester. Il se dépêche de cacher la planche dans son dos, et se retourne.

— 'Jour, monsieur Dumouchel, fait-il en souriant de toutes ses dents.

— Bonjour, Jérémie, répond le directeur. Débarrasse-toi donc de cette planche à roulettes, ajoute-t-il en continuant son chemin.

Sophie rejoint Denise.

— Ça va? lui demande-t-elle.

Denise hausse les épaules et ralentit.

Malgré son air pincé, Denise est très belle. Sa peau est lisse et les émotions des dernières heures ont rehaussé son teint délicat.

— Je peux faire quelque chose? lui demande Sophie.

Denise lui sourit. Douce et gentille Sophie! Pourquoi Antoine n'a-t-il pas choisi quelqu'un comme elle? Sophie ne l'aurait jamais blessé comme l'a fait Guylaine.

— Personne n'y peut rien, répond-elle.

Sophie s'est arrêtée si brusquement que deux élèves derrière elle lui entrent dedans. Elle ne semble pas les voir. Ses livres posés sur une de ses hanches, elle s'exclame : «Il y a toujours une solution!» puis met sa main libre sur son autre hanche.

Denise se met à rire. Au beau milieu du hall, entourée d'élèves qui passent à toute allure près d'elle, Sophie, grande et mince, ressemble à un rocher au milieu d'une rivière. Face aux problèmes, elle est forte et inébranlable. Elle se dévoue pour les autres. Sauver les baleines, nourrir la planète. Voilà les causes qu'elle défend. Et elle ne fait pas que parler. Elle écrit des lettres, elle est bénévole à la Société protectrice des animaux, elle rend visite aux malades et aux gens du troisième âge. Sur le T-shirt qu'elle porte sous son chandail, il est écrit : IL Y A TANT À FAIRE… ET SI PEU DE TEMPS POUR LE FAIRE.

— Il y a peut-être quelque chose à faire en effet, admet Denise, mais je ne sais pas quoi.

— Il faut d'abord que tu cernes le problème. Ensuite…

— Cerner le problème, répète Denise en se demandant par où commencer.

Nathalie se précipite vers les deux amies.

— Le problème, dit-elle en reprenant son souffle, c'est que vous l'avez dépassée. La classe est là-bas, à un demi-kilomètre. Denise pousse un soupir.

— Nous n'arriverons jamais à temps.

— Mais oui ! fait Nathalie

Avec Nathalie, déterminée, à leur tête, elles se ruent vers la salle 332 et entrent à l'instant même où la cloche sonne.

À l'heure du dîner, au moment où Nathalie et Sophie entrent dans la cafétéria, Simon, qui en sort, les arrête.

— Voulez-vous faire partie de mon comité pour la fête d'automne ? leur demande-t-il.

Simon, dont le père est restaurateur, s'est porté volontaire pour s'occuper de la nourriture pour la fête d'automne qui a lieu comme tous les ans dans la forêt qui borde la ville.

— Mais ce n'est que dans plusieurs semaines ! fait Sophie en pensant à tout ce qu'elle a à faire d'ici là.

— Seulement dans deux semaines, lui rappelle

Simon. À cause du voyage à Toronto, nous avons pris du retard.

— Et quand a lieu la première réunion? lui demande Nathalie.

Simon sourit. Il savait bien qu'il pouvait compter sur elles et elles sur lui. Ils se connaissent depuis si longtemps.

— Je te le dirai suffisamment tôt, répond-il.

— Nathalie! Sophie! crie Dorothée en s'élançant vers elles. Je cherche...

Quand elle aperçoit Simon, elle s'arrête net. Il est tellement grand, tellement séduisant. Et il a l'air tellement sûr de lui! Pas du tout comme les autres garçons de sa classe. Depuis un an, elle a tout fait pour qu'il la remarque. Aujourd'hui, c'est peut-être LE jour?

— Salut, Simon, dit-elle en lui faisant son plus beau sourire.

Les yeux bleus de Simon pétillent.

— Salut, Dorothée, répond-il. Tu ferais mieux de te dépêcher si tu veux qu'il reste du pain de viande.

— Du pain de viande! s'exclament en choeur les filles.

Depuis que Mia a fait du pain de viande, le jour mémorable où le secondaire II a dirigé l'école, entendre prononcer ces seuls mots les fait grincer des dents.

Simon se met à rire.

— C'est moins terrible en fermant les yeux et en se bouchant le nez.

Sophie et Nathalie courent faire la queue au comptoir, évitent le pain de viande puis vont prendre place à leur table habituelle. Dorothée s'arrête pour prendre une chaise à une table voisine.

— Hé, Dorothée! lui crie Alexandre assis à une autre table, il y a une place ici. Viens t'asseoir avec nous!

— Même si elle s'assoyait ici, il y aurait quand même un vide, se moque Jérémie.

Dorothée reste debout, l'air embêté.

Suzanne la tire par la manche.

— Assois-toi! lui ordonne-t-elle.

Dorothée s'assoit.

— C'était gentil de la part d'Alexandre, non? Et Jérémie est tellement comique.

Les autres filles se mettent à grommeler.

— Je parie qu'ils mettent des sulfites là-dedans, dit Nathalie en piquant du bout de sa fourchette une feuille de laitue.

— Des sulfites? demande Lucie.

— C'est un produit chimique qu'on met sur la laitue pour la garder fraîche et croustillante, commence Nathalie qui, depuis qu'elle veut devenir médecin, s'intéresse à la nutrition. Chaque fois que l'occasion se présente, elle n'hésite pas à faire un discours sur le sujet.

Suzanne repousse sa chaise.

— Lucie, quand vas-tu comprendre qu'il ne faut pas poser ce genre de question à Nathalie?

Elle prend son plateau et s'éloigne.

Nathalie continue :

— Ça peut causer des réactions allergiques.

Toutes posent les yeux sur la salade de Nathalie : une laitue vert pâle, flétrie, garnie de tranches de tomate orange pâle et vertes et d'une multitude d'ingrédients sans couleur, indéfinissables.

— Tu n'as aucune raison de t'en faire, lui dit Mia.

Denise, affublée d'une paire de lunettes noires, vient s'asseoir avec elles. Derrière elle, des chaises frottent contre le plancher.

— Attention! la prévient Valérie Williams.

Denise se retourne. Les garçons se sont regroupés au bout de leur table pour entendre ce qu'elles racontent. Denise tire sa chaise et se penche vers ses amies.

— Avez-vous vu Antoine?

Personne ne l'a vu.

Denise remonte ses lunettes sur sa tête.

— Ouf! Il m'a dit qu'il voulait me voir à midi.

— Qu'est-ce qui se passe? lui demande Sophie.

— Il me rend folle. Guylaine par-ci, Guylaine par-là. C'est tout ce qu'il sait dire!

— Ils n'ont pas rompu? lui demande Dorothée.

Denise hoche la tête.

— Guylaine a rompu. Antoine ne l'accepte pas. Il n'arrête pas de me suivre et de me demander mon avis.

— Il faudrait qu'il fasse du sport, fait Valérie qui veut devenir professeure d'éducation physique et pour qui le sport peut régler tous les problèmes. Avant, il était bien plus actif mais...

— C'est une oreille compatissante qu'il lui faut, dit Sophie.

— C'est vrai, ajoute Nathalie.

— Ça fait deux semaines déjà, gémit Denise. S'il ne se calme pas bientôt je n'aurai plus d'oreilles du tout.

Jérémie se penche sur sa chaise.

— Parlant d'oreilles, dit très fort Nathalie pour que les garçons entendent, j'en connais certains qui en ont de très grandes.

— C'est pour mieux t'entendre, ma... — la chaise glisse. Jérémie perd l'équilibre et tombe, s'écroulant aux pieds de Denise — ... chère.

— Oh non ! fait Denise. Le voilà !

Antoine est là, à l'autre bout de la salle.

Jérémie sourit à Denise.

— J'ai toujours été là, Denise, dit-il. Mais tu es trop cruelle pour t'en apercevoir.

Denise remet ses lunettes noires et s'enfonce dans sa chaise.

— Dites-lui que je ne suis pas là.

Trop tard, Antoine l'a vue.

Denise ronchonne tandis qu'il s'approche.

Antoine n'a plus que quelques pas à faire quand, soudain, la cloche sonne.

CHAPITRE 2

Sophie est assise, jambes croisées, sur le lit de Nathalie.

— Ce n'est pas l'habitude de Denise d'être si vilaine, fait-elle remarquer à son amie.

— L'année dernière, répond Nathalie, Sylvie m'a presque rendue folle quand elle a rompu avec son ami. Ce n'est pas toujours facile, tu sais.

Sophie est étonné. La soeur de Nathalie, qui étudie à l'université pour devenir danseuse, lui a toujours semblé tellement indépendante !

— Tu ne m'en as jamais parlé !

Nathalie roule sur le dos.

— Tu devais être ailleurs…

— L'année dernière? fait Sophie en fouillant dans sa mémoire. Le seul moment où je suis partie, c'est à l'Action de grâces.

— Ça devait être à ce moment-là, alors, dit Nathalie.

— Je ne suis partie que quatre jours.

— C'était bien assez long. Sylvie a éprouvé la gamme des émotions d'une année entière en quelques jours.

— Si j'étais vraiment amoureuse, dit Sophie, et que ça ne marche pas, je crois que je ne m'en remettrais pas aussi facilement.

— On ne peut pas rester à se lamenter éternellement, réplique Nathalie. La vie continue.

— Facile à dire, mais si… Elle se tait. Elle a du mal

à s'imaginer elle ou Nathalie dans une situation semblable. Ni l'une ni l'autre n'a encore jamais été véritablement amoureuse. Elle-même n'est même jamais vraiment sortie avec un garçon. «Et, Bertrand Hamelin?»

Bertrand Hamelin est un camarade de classe de Nathalie. Après le voyage à Toronto, il y a quelques semaines, il a invité Nathalie au cinéma.

— Quoi, Bertrand Hamelin?

Sophie se met à ricaner.

— Tu sais bien ce que je veux dire. Et s'il... cassait tout?

Nathalie s'assoit.

— Tout quoi? Nous sommes sortis UNE fois, Sophie. Ce n'est pas ce que j'appelle le grand amour.

— Mais il t'aime bien, rétorque Sophie.

— Tu crois?

— J'en suis sûre.

— Comment le sais-tu?

— D'abord, à la façon dont il tourne autour de toi au cours.

— C'est à cause de mes notes.

— Non.

Nathalie se met à rire nerveusement. Parfois, ce genre de conversation avec Sophie l'agace. Elle voudrait avoir l'air sérieuse et elle pense que l'intérêt qu'elle porte aux vêtements ou aux garçons peut nuire à son image.

— Qu'est-ce que tu racontes? Je n'ai pas de bonnes notes? fait-elle en lançant un coussin à son amie.

Sophie le sert contre elle.

— Tu sais bien ce que je veux dire, Nathalie Ryan. Admets-le : tu es très jolie.

Nathalie fait une grimace.

— Je suis trop petite et mes cheveux sont trop bouclés.

— Tu n'es pas petite. Tu n'es pas grande, c'est tout. Les garçons aiment ça. Regarde cette Guylaine Hamel. Je parie qu'elle ne mesure même pas un mètre cinquante. Et Antoine fait au moins un mètre quatre-vingts !

— C'est peut-être pour ça qu'elle a rompu. Elle en avait assez de se mettre sur la pointe des pieds pour l'entendre.

— Tu peux bien rire, dit Sophie. Mais si tu étais aussi grande que moi...

— ... je pourrais m'asseoir dans un fauteuil et mes pieds toucheraient quand même au plancher, continue Nathalie, et je pourrais atteindre les étagères un peu hautes et porter des vêtements magnifiques et...

— ... et tes patients devraient toujours lever la tête pour te regarder, se moque Sophie.

— Ce n'est pas grave, de toute façon, je veux être pédiatre.

— Il faudra que tes patients n'aient pas plus de dix ans, alors.

Les deux amies se mettent à rire. Puis, reprenant son sérieux, Sophie ajoute :

— Tu te souviens du temps où on était de la même grandeur ?

— Ça fait des siècles, blague Nathalie.

— En quatrième année. Quelle belle année ! On était toujours ensemble, tu te rappelles ?

— Toujours !

— Des fois. j'aimerais bien revenir en arrière.

— Dis-tu ça sérieusement ?

Sophie hoche la tête.

— Je ne veux pas dire *toujours*. Mais des fois.

— Pourquoi ?

— Je ne sais pas, répond Sophie en haussant les épaules. On était tellement amies.

— Mais on l'est encore. Et même plus !

C'est vrai. Et pourtant, les choses ont changé. Avant, il n'y avait qu'elles deux. Rien d'autre ne semblait exister. À présent, Sophie a toutes ses causes à défendre, et Nathalie, sa détermination à devenir médecin. Il y a les vêtements et les garçons et les cours à choisir.

— Écoute, Sophie, dit Nathalie en essayant de remonter le moral de son amie, si tu t'inquiètes à cause de Bertrand Hamelin, tu as tort. Jamais aucun garçon ne s'interposera entre nous.

Ce n'est pas Bertrand Hamelin le problème. Ni aucun autre garçon. Sophie est certaine que Nathalie et elle seront toujours amies. Le problème, c'est que le monde autour d'elles semble être plus vaste qu'avant. Il est devenu plus excitant, plus imprévisible, mais plus inquiétant aussi. Elle se lève.

— Qui ? Moi ? Inquiète ? Elle renvoie le coussin à Nathalie et sort en courant de la pièce.

Après être rentrée chez elle, s'être lavé les cheveux et avoir composé le numéro de téléphone de Nathalie, Sophie a retrouvé sa bonne humeur.

— Que vas-tu porter demain ? demande-t-elle à son amie, comme tous les soirs.

— Je ne sais pas, répond Nathalie. Le temps est tellement incertain.

— On annonce des températures plus chaudes que la normale.

— Alors, il va sans doute pleuvoir, fait Nathalie.

— S'il fait beau, on pourrait peut-être aller à la crémerie après l'école ?

— Je ne peux pas. J'ai un rendez-vous chez le dentiste. Je pourrai partir plus tôt du cours ; c'est toujours une consolation !

— Alors, que vas-tu porter ?

— Je ne sais toujours pas. Et toi ?

— Le pantalon et le chemisier que mon père m'a rapportés de son dernier voyage. Si je ne les porte pas maintenant, après, il fera trop froid.

Le père de Sophie semble prendre plaisir à lui acheter des vêtements. Surtout lorsqu'il est en voyage d'affaires. D'habitude, ceux qu'il ramène sont trop enfantins, mais le dernier ensemble qu'il a acheté est sensationnel.

— Au printemps, il ne t'ira peut-être plus. Tu sais ce qui irait bien avec ?

— Ton grand foulard coloré, répond Sophie.

— Des fois, j'ai l'impression qu'on a le même cerveau, dit Nathalie en riant.

— Apporte-moi ton foulard, demain, fait Sophie.

Le lendemain matin, Nathalie arrive à l'école avant Sophie. Lorsqu'elle aperçoit son amie dans l'allée, elle court la rejoindre en brandissant le foulard.

Au pied de l'escalier, Jérémie le lui arrache des mains.

— Rends-le-moi! crie Nathalie tandis qu'il s'éloigne sur sa planche à roulettes.

Jérémie regarde Nathalie derrière lui et n'a pas vu Sophie devant lui.

— Jérémie! s'écrie-t-elle en marchant sur la pelouse. Tu vas heurter quelqu'un!

Il se retourne et saute de la planche qui continue à rouler vers Sophie. En faisant un bond de côté pour l'éviter, elle laisse tomber ses livres.

— Espèce de... de...! rugit-elle.

— De ver de terre? lui suggère Jérémie en agitant le foulard.

Elle essaie de l'atteindre.

Alexandre passe près d'elle et s'empare du foulard. Il le roule en boule et le lance à Mathieu qui se sauve avec.

Nathalie lui barre la route.

— Rends-moi ce foulard!

Mathieu lui jette un regard innocent.

— Excuse-moi, Nathalie, je ne savais pas que c'était à toi.

— Rends-le-moi! lui ordonne-t-elle.

Il le lui tend. Mais lorsqu'elle s'apprête à le prendre, il le change de main. Il tient le foulard au-dessus de sa tête. Elle aurait dû deviner qu'il ferait cela. Mathieu est capitaine de l'équipe de football et, avec lui, tout devient du sport.

— Je ne veux pas jouer à ça, Mathieu Dupuy. Donne-moi mon foulard.

Jérémie passe en trombe, s'empare du foulard et disparaît de l'autre côté de l'édifice.

Mathieu fait un petit sourire espiègle.

— Quels crétins, lance Nathalie en aidant Sophie à ramasser ses livres.

— Lequel? lui demande Sophie.

— Tous! répond Nathalie.

— Jérémie te le rendra, l'assure Sophie. Que pourrait-il faire d'un foulard de fille?

À cet instant, Dorothée tourne le coin, le foulard au cou.

Sophie et Nathalie se regardent. La voilà la réponse : « Le donner à Dorothée! » s'exclament-elles ensemble.

Elles rattrapent Dorothée dans le hall.

— Dorothée, c'est mon foulard, fait Nathalie.

Dorothée met sa main autour de son cou comme pour empêcher Nathalie de s'emparer du foulard.

— C'est Jérémie qui me l'a donné.

— Mais il me l'a pris. Nathalie commence à perdre patience. Il y a des moments où Dorothée la rend folle.

— C'est vraiment le foulard de Nathalie, Dorothée, dit Sophie. Elle voulait me le prêter. Il irait bien avec mon ensemble.

Dorothée examine Sophie des pieds à la tête. Elle prend le foulard et le pose contre le chemisier de Sophie.

— Je ne crois pas. C'est beaucoup trop voyant.

Elles vont dans le vestiaire des filles pour vérifier. Sophie essaie le foulard de plusieurs façons. Nathalie fait de petites retouches. Enfin, elles doivent convenir que Dorothée a raison. Elle n'est pas très difficile avec les garçons — elle les aime tous — mais elle a un goût vestimentaire très sûr.

— Tu es parfaite, juste ordinaire, comme ça, dit Dorothée.

Sophie se met à rire.

— Merci beaucoup!

Dorothée rougit.

— Oh, je ne voulais pas dire…

Dorothée est un peu étourdie, mais il n'y a pas une once de méchanceté chez elle et Sophie l'apprécie.

— Je sais bien ce que tu voulais dire, Dorothée, l'assure Sophie. L'ensemble est plus éblouissant avec la seule chaîne en or et les petites boucles d'oreilles dorées. En fait, il n'y manque rien.

— Tu sais ce que tu pourrais faire? lui demande Dorothée. Sans attendre de réponse, elle déboutonne le bas du chemisier de Sophie. Nouer les bouts comme ça, explique-t-elle.

La cloche sonne avant que Nathalie ait le temps de plier le foulard et de le remettre dans son sac. Tandis qu'elle court vers sa classe, le foulard passé sur une épaule, Jérémie s'approche et le lui vole de nouveau. Avant même de se rendre compte qu'elle ne l'a plus, elle le voit flotter à l'autre bout du couloir.

Nathalie pourchasse Jérémie dans la classe. Il est debout sur la chaise de monsieur Mario et suspend le foulard à un clou sur le mur.

Elle s'avance vers lui.

— Rends-moi ce foulard, espèce de sombre crétin! lance-t-elle en secouant la chaise.

— Il y a un règlement sur ce qu'on peut accrocher aux murs ou non, monsieur Vincent.

Monsieur Mario!

Jérémie sourit peureusement.

— Oui, monsieur, dit-il. Quelqu'un… a accroché ce

foulard ici. J'allais… euh… justement… le décrocher.
Nathalie me l'a demandé.

— C'est vrai, Nathalie?

La salle est silencieuse. Nathalie sait qu'elle n'a pas
le temps de se lancer dans de grandes explications avant
que la cloche sonne. Si elle dit oui, ce sera comme si
c'était elle qui avait mis le foulard là. Si elle dit non,
monsieur Mario va croire qu'elle voulait empêcher
Jérémie de le décrocher.

Elle pousse un soupir.

La cloche sonne.

— Nous réglerons cela plus tard, fait monsieur
Mario. Donne-moi le foulard, Jérémie.

Jérémie lui tend la pièce d'étoffe. Monsieur Mario la
plie soigneusement et la range dans un tiroir de son
bureau. Jérémie saute à bas de la chaise et se dirige vers
sa place.

— Tu n'oublies rien, Jérémie?

Jérémie fige, perplexe.

— Je ne crois pas, non.

— Ma chaise.

— Je ne l'ai pas.

Monsieur Mario prend une profonde respiration.

— Moi non plus, dit-il.

Jérémie s'élance vers l'avant de la classe, en évitant
les pieds dans l'allée qui cherchent à le faire trébucher.
Il plie les genoux, soulève la chaise, la fait tournoyer et,
en trois grands pas, la dépose derrière le bureau de
monsieur Mario.

Tout le monde applaudit. Jérémie salue.

À quelques reprises au cours de la matinée, le vent

tiède s'engouffre dans les couloirs entraînant avec lui une bouffée de printemps. À midi, le foulard est oublié. Les livres et les études aussi. Tout est oublié, sauf le moment présent.

Avec le soleil qui darde ses rayons par les fenêtres, les murs vert pâle et le plancher usé font paraître la cafétéria encore plus délabrée. Les filles mangent rapidement et sortent dehors.

Assise sur un des bancs de bois du terrain de sport, Sophie étire les bras comme pour embrasser le monde entier.

— C'est merveilleux ! On devrait faire quelque chose de spécial aujourd'hui, sortir nos bicyclettes, faire voler un cerf-volant !

— Aller chez le dentiste, dit Nathalie en croquant dans une pomme.

— Comment ai-je pu oublier ?

— C'est simple : ce n'est pas toi qui dois y aller.

Tout le monde est occupé après l'école. Denise est à l'atelier d'art dramatique, Valérie a une partie de balle molle, Dorothée et Lucie vont magasiner, Mia a un rendez-vous avec Dani.

Sophie est toute seule à ne rien avoir à faire. D'habitude, c'est elle qui doit se précipiter à une réunion quelconque. Quel changement ! Au vestiaire, elle prend tout son temps. Elle examine la liste de ses devoirs, prend les bons livres, écoute le tapage des portes des casiers qu'on referme avec violence, les cris dans le hall. Elle ferme son casier sans hâte.

Une fois dehors, elle ferme les yeux et prend quelques bonnes bouffées d'air. Elle imagine des bourgeons verts aux buissons qui entourent l'école, la pelouse grasse et verte. Elle ouvre les yeux et découvre le gazon brun et les arbres aux feuilles rares et décolorées. Ça ne fait rien. Sous le ciel clair et le soleil éclatant, elle a l'impression de faire corps avec la nature.

Une vague d'énergie soudaine lui fait dévaler les marches deux par deux. En bas, elle se met à courir.

Derrière elle, une voix l'appelle :

— Sophie ! Hé, Sophie !

Elle se retourne.

Antoine Ricard accourt vers elle.

CHAPITRE 3

— As-tu vu Denise? demande Antoine à Sophie.

— Elle est à une réunion du club d'art dramatique. Antoine semble déçu.

— C'est vrai. J'avais oublié.

— C'est parce que ce n'est pas toi qui dois y aller, fait Sophie en répétant une des phrases de Nathalie.

Antoine prend un air songeur.

Sophie pense lui donner des explications, mais elle se ravise. Et puis, Antoine la regarde de ses grands yeux tristes, comme s'il attendait qu'elle dise quelque chose.

— Nathalie devait aller chez le dentiste, commence-t-elle, et j'avais oublié. Alors quand je lui ai dit «Comment ai-je pu oublier?», elle a répondu… Antoine semble encore plus embrouillé. Oublie ça, dit Sophie. Ce n'était pas *si* drôle que ça.

Aucun des deux ne dit plus rien.

Enfin, Sophie se décide à parler.

— Si je vois Denise, je lui dirai que tu la cherches, fait-elle.

— Je la verrai sans doute avant toi, dit Antoine.

— Ah oui, c'est vrai. Alors tu pourras lui dire que je ne la cherchais pas.

Antoine se met à rire.

— C'est ce que je ferai.

Les yeux plissés, il la regarde longuement.

Sophie se sent mal à l'aise. Elle change ses livres de main.

— Où vas-tu ? lui demande Antoine.

— Chez moi. Il fait tellement beau, j'ai le goût de marcher.

Antoine regarde tout autour comme s'il n'avait pas encore remarqué combien il faisait beau. Cela permet à Sophie de l'observer. Avec ses cheveux foncés et son teint brun, il est très séduisant. Mais il paraît un peu défait. Ses cheveux, plus longs que d'habitude, tombent en boucles sur sa nuque ; il y a une tache sur son cardigan ; un de ses lacets est cassé. Sophie est triste de voir qu'une fille peut être la cause de tout cela.

— C'est vrai, dit-il.

C'est au tour de Sophie d'être surprise.

— La journée, explique-t-il. Il fait beau.

— On dirait que c'est le printemps, ajoute-t-elle parce qu'elle n'a rien d'autre à dire.

— Je suppose. Il sourit. Un sourire un peu triste. Tu permets que je t'accompagne ?

Sophie a l'impression d'être dans un film et de ne pas savoir ce qui va lui arriver.

— Où ça ?

— Tu n'as pas dit que tu rentrais chez toi ?

— Ah, oui. Chez moi. Oui.

— Penses-tu qu'on devrait tout reprendre depuis le début ?

Elle se met à rire.

— Je ne pense pas que ça changerait grand-chose.

Ils marchent côte à côte d'un même pas.

— J'aime bien marcher, dit-il, mais après lundi, je ne pense pas que j'aurai l'occasion de le faire souvent.

« Des ailes vont lui pousser ? se demande Sophie. À moins qu'il ne s'évapore ? »

— Que doit-il se passer lundi ? lui demande-t-elle.

— J'ai un examen de conduite. Ça me rendait tout fou avant, mais depuis…

Sa voix s'éteint.

— Mais c'est merveilleux, dit Sophie. Tu vas avoir ton permis !

— Si je réussis l'examen.

— Oh, tu réussiras, s'exclame-t-elle avec enthousiasme. Tu es bon. Je t'ai vu conduire au cours et… Elle s'interrompt. Antoine risque de croire qu'elle l'épie.

— Si je réussis tant mieux, sinon… Il hausse les épaules.

Le silence retombe. Sophie cherche quelque chose à dire. Nathalie et elle ont souvent parlé des discussions avec les garçons. D'après elles, il est mieux de parler aux garçons de ce qui les intéressent, eux. Mais Antoine s'intéresse à Guylaine Hamel. Sophie ne peut tout de même pas lui parler d'elle !

Soudain, elle s'entend demander : « Tu vas bien ? »

Antoine prend du temps à répondre. Sophie croit qu'il n'a pas entendu sa question. Mais quand il répond : « Qu'est-ce que tu veux dire ? », elle sait qu'elle ne peut plus retirer sa question. Elle doit plonger.

— Bien… je ne sais pas exactement. Tu as l'air différent. Un peu pâle et… tu as maigri aussi.

Il hoche la tête.

— Je n'ai pas fait tellement attention à moi, ces derniers temps.

— Tu devrais. C'est très important. Si Nathalie était ici… tu connais Nathalie Ryan, elle veut devenir médecin… elle te dirait qu'il faut bien te nourrir et faire de l'exercice, etc. Elle appelle ça de la médecine préventive.

Antoine rit.

— Trop tard pour ça.

— Il n'est jamais trop tard.

Ils s'arrêtent au coin de la rue pour attendre que la lumière tourne au vert. Sophie sent le regard d'Antoine posé sur elle.

— Denise n'a rien dit ? lui demande-t-il.

— À quel sujet ? Elle sait très bien de quoi il parle. Elle se sent malhonnête de prétendre ne pas savoir. Mais comment aurait-elle pu dire : « Denise nous a tout dit sur toi et sur Guylaine... qu'elle t'a laissé tomber et que tu es en train de rendre ta soeur folle à cause de ça. »

— À mon sujet, répond-il.

Le feu devient vert.

Sophie avance.

— Elle parle tout le temps de toi. Elle croit vraiment que tu es... spécial.

— Au sujet de Guylaine et de moi, explique Antoine.

— Seulement que vous avez... euh... rompu.

Pendant quelques secondes, c'est le silence.

— Ça ne fait rien, fait soudain Antoine.

Veut-il dire que cela ne fait rien que Denise l'ait dit, ou bien que cela ne fait rien que Guylaine ait rompu ? Elle n'ose pas le demander.

— Tu la connais ? fait Antoine.

— Guylaine Hamel ? Je la connais de vue.

— Que penses-tu d'elle ?

Sophie n'a pas d'opinion sur Guylaine. Elle sait ce

34

que pense Denise, mais elle essaie toujours de ne pas porter de jugement d'après ce que disent les autres.

— Elle est très jolie, dit-elle.

Antoine sourit.

— Superbe! s'exclame-t-il en souriant. Mais ce n'est pas seulement son apparence. Elle est… spéciale. Il semble plein d'énergie, soudain. Quand je l'ai rencontrée la première fois, j'ai été un peu démonté. Elle semblait réservée. Distante.

« Denise aurait dit prétentieuse », pense Sophie. C'est curieux comme les gens qui voient chez quelqu'un une même caractéristique lui donnent un nom différent.

— Mais, ensuite, j'ai commencé à la connaître…

Comme un pantin qui vient d'être remonté, Antoine n'arrête plus de parler. Sophie est contente de marcher avec lui et de l'écouter. Elle est flattée qu'il ait assez confiance en elle pour lui faire des confidences. Elle espère que quelqu'un, un jour, éprouvera pour elle les mêmes sentiments que ceux d'Antoine pour Guylaine. Celle-ci ne sait pas combien Antoine l'aime. Si elle le savait, elle n'aurait sûrement pas rompu.

Au milieu de toutes ses pensées, Sophie entend une auto klaxonner. Elle regarde autour d'elle.

Antoine ne semble pas avoir entendu le klaxon, et il se méprend sur la réaction de Sophie.

— Écoute, Sophie, je suis désolé.

— Pourquoi?

— C'est tellement ennuyeux tout ça.

— Je ne trouve pas ça ennuyeux, du tout, se hâte-t-elle de dire.

Il rit.

— Je m'ennuie moi-même!

Ils sont sur la rue où habite Antoine. Sophie hésite, prête à dire au revoir, mais Antoine continue de parler.

— C'est ta rue, dit-elle.

— Je ne suis pas pressé. Si ça ne te dérange pas, je vais t'accompagner chez toi.

La déranger? Quand le plus beau garçon de l'école la raccompagne chez elle?

— Ça ne me dérange pas, dit-elle froidement alors que son coeur bat à tout rompre.

À la porte, il lui sourit. Et cette fois, ce n'est pas un sourire triste.

— Denise dit qu'elle est chanceuse de t'avoir comme amie. À présent, je sais pourquoi.

Sophie se sent rougir.

— Merci, dit-elle, ne sachant pas quoi répondre d'autre.

Il rit.

— C'est à moi de dire ça. Merci de m'avoir écouté. Toi, on peut te parler.

Sophie constate avec étonnement qu'il est passé quatre heures. Elle a l'impression de venir tout juste de quitter l'école et, en même temps, qu'elle en est sortie depuis très longtemps. Comme si sa promenade avec Antoine l'avait projetée hors du temps.

Jeff, l'homme de maison des Miller, la trouve en train de fixer l'horloge.

— Ne me dis pas qu'elle ne fonctionne plus, fait-il. La cafetière s'est cassée ce matin, l'aspirateur a rendu l'âme au milieu du salon…

Sophie se tourne en souriant pour le regarder et il s'interrompt.

— Il doit s'être passé quelque chose, continue-t-il, les yeux brillants. Tu as l'air ensorcelée.

— Ensorcelante? dit-elle en faisant exprès de se tromper de terme.

— Aussi. Ton ensemble est très joli. Le goût de ton père s'améliore.

— Mon père a un goût merveilleux! dit-elle. Il est merveilleux! Tu es merveilleux! Tout est merveilleux!

Elle ouvre une boîte à biscuits et sort deux biscuits au chocolat, tout frais.

— Pas ceux-là, dit Jeff. Ils sont brûlés.

Sophie prend une bouchée.

— C'est vrai ; ils ne sont pas très réussis.

— Je t'avais prévenue.

— Ils sont sensationnels! Elle en prend deux autres et monte à sa chambre, laissant Jeff bouche bée.

Elle s'appuie sur sa porte qu'elle vient de refermer et regarde autour d'elle comme si elle voyait sa chambre pour la première fois. C'est une pièce charmante. Des raies de lumière dorée inondent les fenêtres, passent au travers de sa baleine en cristal et se dispersent en petits arcs-en-ciel. Son couvre-lit blanc resplendit. Elle se regarde dans le grand miroir au-dessus de la commode ; son reflet semble être celui d'une étrangère.

— Allô! dit-elle à l'étrangère. Comment ça va aujourd'hui?

— Merveilleusement bien! répond le reflet.

— En tout cas, tu es splendide! se dit Sophie. La couleur de son ensemble fait ressortir ses yeux verts.

— Tu as l'air plus vieille, dit-elle tandis que son reflet

fait un mouvement de mannequin. Enfin — elle se penche pour mieux se voir — disons... quinze ans.

Heureusement, jamais elle n'aurait pu avoir l'air plus jolie qu'aujourd'hui pour rencontrer Antoine. Elle va à son bureau et ouvre son livre de mathématiques. Mais son regard se tourne sans cesse vers la fenêtre et son esprit ne pense qu'à la conversation qu'elle a eue avec Antoine.

Une fois passé l'embarras du début, elle s'est sentie très à l'aise avec lui. En fait, c'est lui qui a parlé presque tout le temps. C'est peut-être cela la solution : être une bonne auditrice. Bien sûr, si ça avait été une vraie sortie, ça aurait pu être différent. Mais ils étaient tout de même seuls tous les deux. Jamais encore, elle ne s'était trouvée seule avec un garçon sauf pour faire des devoirs ou pour parler à Simon. Mais lui, il ne compte pas. Ils ont grandi ensemble. Pour elle, il est plus un frère qu'un garçon.

Elle pousse un soupir. Tout cela est tellement confus. Elle ouvre le dessus de son bureau et en sort son journal intime. C'est sa professeure d'anglais en secondaire I qui a encouragé les élèves à avoir un journal. Sophie passe le doigt sur le cuir bleu de la couverture. Même sans cela, elle aurait sans doute tenu son journal. Mettre ses idées sur papier l'aide à les ordonner, parfois même à les trouver.

Elle s'assoit, immobile pendant un grand moment. Rien ne lui vient à l'esprit. Comme si il n'y avait pas de mots pour décrire ce qu'elle ressent.

Enfin, elle écrit :

Aujourd'hui, Antoine Ricard m'a raccompagnée à la maison.

Elle se penche vers l'arrière. Que pense Antoine du moment qu'ils ont passé ensemble? Il doit déjà sûrement l'avoir oublié. Il est sans doute chez lui, en train de songer à Guylaine. Il ne faut surtout pas qu'elle se fasse d'illusions. D'ailleurs, des tas de filles aiment Antoine, des filles de son âge à lui, en plus. Mais, il lui a parlé à elle, il s'est confié à elle. Était-ce seulement parce qu'elle se trouvait là au bon moment?

Un nuage cache le soleil et éteint les arcs-en-ciel.

Elle laisse son journal ouvert — elle y reviendra plus tard — et téléphone à Nathalie.

CHAPITRE 4

Dorothée s'arrête devant le casier de Nathalie.

— Tu ne devineras jamais qui j'ai vu hier après l'école… ensemble, dit-elle.

Nathalie ne répond rien. Elle n'a pas la tête à commérer. Elle a attendu Sophie dans l'escalier, jusqu'à la dernière minute. À présent, si elle ne se dépêche pas, elle sera en retard.

— Sophie et devine qui, continue Dorothée.

— Je n'ai pas le temps de jouer aux devinettes, Dorothée, dit Nathalie.

— Ça va, fait Dorothée. Tu ne devinerais jamais de toute façon. Sophie et… es-tu prête?… Antoine Ricard!

Nathalie lui jette un regard perçant.

— Bien sûr, fait-elle.

— C'est vrai! fait Dorothée. Ma mère m'a reconduite chez Lucie, on allait magasiner et…

Cela ne se peut pas. Nathalie a parlé deux fois à Sophie hier : avant le souper, et après. Sophie ne lui a rien dit.

Elle ferme son casier et se dirige vers la salle 332.

Dorothée l'accompagne.

— On a klaxonné. Ils étaient tellement absorbés qu'ils ne nous ont même pas entendues!

Nathalie entre dans sa classe.

— Et elle n'est même pas arrivée! ajoute Dorothée avant de s'éloigner.

Nathalie se glisse sur son siège.

— As-tu vu Sophie? demande-t-elle à Jérémie.

Il ne l'a pas vue.

Denise lui sourit et lui fait signe depuis le fond de la classe.

Elle, elle saura si Antoine était avec Sophie hier. Mais il n'y a plus assez de temps. Elle lui parlera plus tard. Pour l'instant, elle ne doit pas y penser.

Monsieur Mario dit quelque chose, mais Nathalie n'entend pas. Tout le monde ouvre son carnet de notes et Nathalie fait de même. Le professeur se met à écrire au tableau.

Pour Nathalie, il pourrait tout aussi bien écrire en chinois. Ses yeux se portent tour à tour sur l'horloge et sur la porte. Où peut bien être Sophie? Elle est peut-être malade? Hier, elle est peut-être tombée et Antoine l'aura aidée à se relever? Ça expliquerait pourquoi elle n'en a pas parlé. Un coup à la tête pourrait avoir entraîné le délire ou une perte de mémoire. D'ailleurs, à bien y penser, elle avait une drôle de voix au télé-phone. Nathalie imagine son amie étendue sur son lit. Inconsciente.

La seconde cloche sonne.

— Mademoiselle Ryan? fait monsieur Mario qui lui parle depuis quelques instants.

Croyant qu'il fait l'appel des présences, Nathalie répond : «Présente!»

— En partie, en tout cas, remarque le professeur.

Sophie est en retard. Elle avait oublié de régler son réveille-matin. En plus, le sommeil a été long à venir et agité.

La seconde cloche sonne au moment où elle entre en coup de vent dans l'école.

— Sophie Miller ! crie madame Pierre de la porte de son bureau.

Sophie se retourne.

— Bonjour, madame Pierre, dit-elle sans ralentir l'allure.

— Les couloirs ne sont pas une piste de course, lui fait remarquer madame Pierre.

Sophie arrête de courir mais continue de marcher très vite.

Lorsqu'elle entre dans la salle 332, monsieur Mario est en train d'écrire au tableau. Elle se faufile au fond de la classe.

— Bonjour, Sophie, fait le professeur sans se retourner. J'espère que tu as bien dormi.

Sophie sait bien qu'il n'attend pas de réponse ; c'est simplement sa façon de lui faire comprendre qu'elle n'est pas passée inaperçue. Mais elle n'a pas encore tous ses esprits et elle répond :

— En fait, j'ai passé une nuit affreuse.

Sans cesser d'écrire, monsieur Mario tourne lentement la tête.

— Eh bien, nous sommes deux, fait-il.

Toute la classe se met à rire.

Sophie voudrait rentrer sous terre. Encore heureux que monsieur Mario ne l'ait pas envoyée chercher un billet de retard au bureau !

De l'autre côté de l'allée, Nathalie essaie d'attirer son attention. Lorsque Sophie se retourne et lui sourit, Nathalie articule en silence : « Il faut que je te parle. »

Sophie ne comprend pas.

Nathalie fait une deuxième tentative. Derrière elle, Jérémie l'imite en exagérant le mouvement de ses lèvres.

— Monsieur Vincent, dit le professeur, vous avez mal quelque part?

L'expression de Jérémie se fige. Ses lèvres se tordent en un affreux rictus.

— Non, monsieur, répond-il. Je, euh, je fais des exercices. Je me prépare pour ma journée.

— C'est plutôt ton esprit que tu devrais préparer, dit monsieur Mario.

Lorsque la cloche sonne, Nathalie se tourne vers Sophie.

— Pourquoi ne m'as-tu rien dit à propos d'Antoine?

Sophie se sent rougir. Elle hausse les épaules et fait mine de ramasser ses livres. Elle voulait lui dire avant le souper hier, mais elle a eu la vague sensation que si elle en parlait, tout cela deviendrait trop réel, trop banal.

— Antoine? fait-elle.

— Dorothée m'a dit qu'elle vous avait vus ensemble.

— Il faut que je passe par le vestiaire, fait Sophie en se levant. J'étais tellement en retard que je n'ai pas encore eu le temps d'y aller. Je te parlerai de tout ça plus tard.

— Je t'accompagne, dit Nathalie. Mais Marc Johnson s'approche d'elle.

— Tu as une minute, Nathalie?

Marc vient de Californie. Au début, Nathalie s'est sentie attirée par ce grand garçon au teint hâlé, mais cela n'a pas duré longtemps.

Sophie n'attend pas la réponse de Nathalie. Elle se rue hors de la classe, soulagée.

Mais pas pour longtemps.

— Hé, Sophie! s'écrie Lucie. Qu'est-ce que tu faisais avec Antoine Ricard, hier?

Plusieurs élèves se retournent pour regarder Sophie. Quel bon moyen de l'annoncer à toute la classe!

Heureusement, Lucie est emportée par le flot d'élèves qui descend le couloir et Sophie n'a pas à lui répondre. Pour cette fois.

Tandis qu'elle enfile son short d'éducation physique, Suzanne s'approche d'elle.

— C'est vrai ce que j'ai entendu à propos de toi et d'Antoine? dit-elle d'un ton de reproche.

— Je ne sais pas Suzanne, répond Sophie en serrant les dents. Qu'est-ce que tu as entendu?

Nathalie et Denise entrent dans le vestiaire en bavardant. Elles acculent Sophie à un coin.

— Qu'est-ce qui s'est passé avec Antoine, hier? lui demande Denise.

— Mais rien du tout, dit Sophie. Il faisait beau et…

Dans le gymnase, madame Sinclair donne un coup de sifflet.

Sophie longe le mur. «On ferait mieux d'y aller», dit-elle en s'éloignant.

Nathalie, Denise et Suzanne la suivent en la bombardant de questions.

— Je vous en parlerai plus tard, dit Sophie en prenant sa place dans le gymnase.

À regret, Nathalie et Denise sont sur le point de se mettre en rang elles aussi quand madame Sinclair donne un autre coup de sifflet.

— Ricard ! Ryan ! Vous n'êtes pas prêtes pour le cours !

Les deux filles s'arrêtent. Elles ont oublié de se changer.

À midi, tout le monde, même les garçons, a entendu parlé de Sophie et d'Antoine.

Dès l'instant où Sophie s'assoit à table, Jérémie approche sa chaise et se penche vers l'arrière, les mains croisées derrière le dossier.

— Alors, dit-il en prenant le ton d'un adulte mécontent, à présent c'est Antoine la pivoine.

— Laisse tomber, lui dit Suzanne.

— J'essaie seulement de sauver Sophie d'elle-même, fait Jérémie.

— Oui, ajoute Alexandre. Si elle veut un petit ami séduisant, elle peut très bien en trouver un dans sa propre classe.

— Qu'est-ce qu'elle ferait avec des petits crétins comme vous ? demande Mia.

Alexandre se lève lentement de toute sa hauteur.

— De qui parles-tu, Mia ?

— Écoutez, les gars, dit Nathalie, Sophie n'a pas besoin de vos conseils, alors foutez le camp.

— C'est ridicule ! rugit Sophie, exaspérée. Vous parlez de moi comme si j'étais un meuble ! Je suis assise ici ! Et je n'ai pas besoin de conseils ! Je n'ai besoin de rien ! Vous faites une montagne avec rien du tout ! Antoine et moi, on allait juste dans la même direction ! Point ! Fin du rapport ! Elle fait une pause. Maintenant, laissez-moi tranquille !

Les autres la regardent en silence. Puis Jérémie se lève et retourne sa chaise.

— On voulait juste aider, dit-il comme s'il était profondément blessé.

Les filles font mine de s'affairer à manger. Elles sont curieuses de connaître la véritable histoire, mais il n'y a rien à tirer de Sophie pour l'instant.

Nathalie ouvre son yogourt à la banane.

— Ça a l'air dégoûtant, dit Suzanne.

— C'est excellent pour le système digestif, explique Nathalie, en plus le potassium de la banane le rend encore plus nutritif. La réponse est sortie machinalement. Son esprit est bien loin du yogourt et de la banane. Elle pense à Sophie qu'elle observe tout en mangeant.

— Je croyais que tu étais tombée et qu'Antoine t'avait peut-être aidée à te relever, dit-elle enfin.

Sophie n'en croit pas ses oreilles.

— Quoi?

— Je croyais que tu…

— J'ai entendu, Nathalie, l'interrompt Sophie. Pourquoi pensais-tu ça?

— Parce que je t'ai parlé deux fois, hier soir et que tu ne m'as pas parlé d'Antoine. Alors, j'ai pensé que tu souffrais peut-être d'amnésie, temporairement je veux dire, et que tu avais oublié.

Sophie pousse un soupir.

— Il n'y avait rien à oublier.

— Alors, pourquoi tu ne lui en as pas parlé? demande Lucie.

— Parce qu'il n'y avait rien à dire!

— C'est une bonne raison, dit Suzanne pour qui les

motifs qui poussent les gens à agir sont plus importants que les actes eux-mêmes. D'ailleurs, elle ne peut pas s'imaginer un garçon comme Antoine Ricard s'intéresser à une fille comme Sophie. Antoine n'avait sûrement pas planifié tout ça.

— Il cherchait Denise! fait Sophie.

Dorothée, tout essoufflée, s'approche de la table.

— Je suis contente que tu sois encore là, Sophie. Elle se laisse tomber sur sa chaise, prend quelques bonnes respirations puis se penche vers Sophie. Elles le savent? demande-t-elle en faisant un signe de tête en direction des autres.

— Savent quoi, Dorothée? lui demande Sophie.

— Pour toi et Antoine.

Sophie grommelle quelque chose entre ses dents.

— Toute l'école le sait, dit Lucie.

— Mais c'est impossible! fait Dorothée. Je n'en ai parlé à personne!

— Tu m'en as parlé à moi, dit Nathalie.

— Bien... à toi et à Lucie. À personne d'autre. Dorothée sent qu'on l'a dupée. Ce n'est pas très drôle d'avoir un secret que tout le monde connaît déjà. Si j'avais su que vous le diriez à tout le monde!

— Il n'y a rien à dire, fait Suzanne. Antoine cherchait Denise, Sophie se trouvait là et il l'a accompagnée chez elle. Ce n'est rien d'extraordinaire. Ça aurait pu arriver à n'importe laquelle d'entre nous.

Sophie se sent effondrée, soudain. Elle est arrivée à la même conclusion, mais ce n'est tout de même pas drôle de se le faire dire.

— Si ça m'était arrivé à moi, fait Dorothée, ce serait extraordinaire.

— Parce que tu voudrais bien te le faire croire, dit Suzanne.

Dorothée garde un air offensé jusqu'au moment où Denise entre dans la cafétéria.

— Voilà Denise, dit-elle. Maintenant, on va savoir ce qui s'est vraiment passé.

— Quelqu'un est parti avec mon dîner, fait Denise en s'assoyant. Je l'ai cherché partout.

— Comment peux-tu penser à manger dans un moment pareil? lui dit Dorothée.

— C'est simple, répond Denise, c'est l'heure du dîner.

— Il y a des choses plus importantes que la nourriture, dit Dorothée.

— Quoi, par exemple?

Tout le monde, sauf Sophie, répond en choeur: «Antoine et Sophie!»

— La première fois que j'en ai entendu parler, c'est ce matin, par Nathalie.

— Tu ne m'as pas dit qu'il ne t'en avait pas parlé, fait Nathalie.

— J'étais trop étonnée.

— Il n'en a pas parlé du tout? demande Lucie.

— Il a bien dû dire quelque chose, ajoute Dorothée.

— Comme: «Oh, à propos, j'ai vu ta petite amie Sophie cet après-midi. »? dit Suzanne

Denise secoue la tête.

— Pas un mot.

Toutes les têtes se tournent vers Sophie.

Celle-ci se détourne.

— Qu'est-ce que je vous avais dit? Il ne s'est rien passé.

— Alors pourquoi n'en a-t-il pas parlé à Denise? dit Suzanne en revenant à la charge.

— Pour la même raison que je n'en ai pas parlé à Nathalie, répond Sophie. Il n'est pas toujours nécessaire de tout dire. Ce matin, Marc a bavardé avec Nathalie. Est-ce qu'elle en a parlé à quelqu'un?

Les autres regardent Nathalie.

— Il n'y a rien à dire, fait Nathalie.

Sophie regarde une à une ses amies avec un air satisfait.

— Vous voyez?

— Ce n'est pas la même chose, Sophie, fait Lucie. Je veux dire… Marc?

— Si une personne ne dit rien, c'est une chose, ajoute Dorothée. Mais quand deux personnes ne disent rien, là, c'est autre chose.

Toutes regardent Sophie.

Elle se lève.

— C'est ridicule. Je vais ailleurs, là où les gens n'ont pas perdu la… Elle reste bouche bée. Antoine s'avance vers elle. Son coeur se met à battre et ses jambes mollissent. Elle s'affale sur sa chaise.

Une à une, les filles suivent son regard.

Antoine montre un sac brun à Denise.

— Pas étonnant que je ne trouvais pas mon dîner, fait Denise.

— Excuse-moi. J'ai pris le mien et le tien. Ses yeux font le tour de la table et s'arrêtent sur Sophie. «Salut, Sophie», dit-il en souriant avec chaleur.

CHAPITRE 5

— Tu as reçu un appel, dit Jeff à Sophie lorsqu'elle rentre de l'école.

Elle sent passer en elle une vague d'excitation.

— Qui c'était?

— Simon. À propos d'un comité.

— Oh.

Tout en espérant que Jeff n'a pas perçu la déception dans sa voix, elle passe le doigt sur le bol dans lequel il prépare un glaçage.

Jeff lui donne une petite tape sur la main.

— Patience. Quand j'aurai terminé, tu pourras lécher le bol.

Elle fait la grimace.

— Je ne suis pas sûre de vouloir. C'est très citronné. Il n'y a rien d'autre? J'ai faim.

Avec ce qui s'est passé à midi, Sophie n'a pas mangé beaucoup. Jeff lui tranche un morceau de gâteau à la banane.

— Ça te va?

Elle en prend une bouchée. Il est encore chaud.

— Tu devrais ouvrir une pâtisserie.

— J'ai déjà assez de travail avec toi et Éric, répond Jeff.

Sophie mange lentement, en savourant chaque bouchée.

— Personne d'autre n'a téléphoné? demande-t-elle en essayant de prendre un ton naturel.

— Seulement Simon. Attendais-tu un appel?

51

— Non, non.

Jeff a l'air sceptique.

Devrait-elle lui parler d'Antoine? Il pourrait peut-être l'aider?

En se couchant, hier soir, elle pensait avoir réglé la question. Ce n'était qu'une coïncidence, comme l'a dit Suzanne. Antoine a marché avec elle parce qu'elle se trouvait là. Point.

Elle a repassé dans sa tête la conversation avec Antoine. Elle répétait sans arrêt la dernière phrase qu'il lui a dite, sur des tons différents. À la fin, elle ne savait plus très bien comment il l'avait dite. « *Toi*, on peut te parler. » Aurait-il dit cela à n'importe qui?

Aujourd'hui, à cause des moqueries de tout le monde, elle est revenue à la case départ. Jusqu'à ce que Denise lui apprenne qu'Antoine ne lui avait rien dit. Tout est encore plus confus. D'un côté, elle est soulagée, de l'autre, elle est déçue.

Et puis, il lui a souri! Elle en frissonne encore.

Éric entre dans la cuisine.

— Vous ne savez pas ce qui est arrivé aujourd'hui! Il jette son sac sur la table. Je peux avoir un morceau de gâteau?

— Sers-toi, fait Jeff. Alors, que s'est-il passé?

Sophie prend ses livres. Éric est entré au bon moment. Elle ne se sentait pas prête à parler à Jeff.

Le téléphone sonne. C'est Simon qui lui annonce que la réunion pour la fête d'automne se tiendra demain, à midi.

— Hé, c'est vrai ce qu'on raconte sur toi et Antoine? demande-t-il avant de raccrocher.

Sur son bureau, son journal est ouvert à la même page qu'hier. *Aujourd'hui, Antoine m'a raccompagnée à la maison.* Elle n'a rien ajouté depuis.

Elle s'assoit, prête à commencer.

Cher journal, si tu savais ce que j'ai vécu aujourd'hui ! Tout ça parce que Antoine m'a accompagnée hier. Dorothée nous a vus ensemble.

Elle s'arrête sur le dernier mot. «Ensemble», dit-elle tout haut. Est-ce que cela signifie quelque chose? Si Antoine le lisait, qu'en penserait-il? Elle raye le mot.

À midi, tout le monde était au courant. Comme au jeu du téléphone. Personne ne chuchotait mais le message a quand même été déformé. Probablement parce que personne ne connaissait le véritable message. Pas même moi !

En bas, l'horloge sonne la demie. Sophie doit descendre. Il y a une réunion du Comité de sauvegarde des baleines ce soir et elle doit finir ses devoirs et téléphoner à Nathalie avant le souper.

— Simon t'a parlé de la réunion du comité? demande Sophie à Nathalie au téléphone.

— Oui, mais je pense qu'il m'a appelée pour me parler de toi et d'Antoine, en fait.

— Il t'a dit quelque chose?

— Il a surtout posé des questions.

— Qu'est-ce que tu lui as dit?

— Ce que tu m'as dit.

— Je me demande s'il m'a appelée avant ou après t'avoir parlé.

— Après, dit Nathalie. Il m'a dit que tu ne voulais rien lui dire.

Sophie est exaspérée.

— Je lui ai dit ce que je t'ai dit à toi.

— C'est ce que je lui ai dit, lui assure Nathalie. Mais tu vois, c'est plus compliqué. Toi, tu ne m'en as pas parlé et Antoine, lui, n'en a pas parlé à Denise. Ça ressemble à l'épisode de monsieur Rochester. Personne ne dit rien à personne!

— Parce qu'on était toutes folles de lui, dit Sophie. Et d'ailleurs, on en a parlé à Simon.

— Le problème, continue Nathalie, c'est qu'on est amies et qu'on ne s'en est pas parlé. C'est peut-être que les choses vraiment importantes, on les garde pour soi?

Il est huit heures cinq minutes quand Sophie prend sa place dans la salle de la bibliothèque réservée au comité de sauvegarde. En retard, une fois de plus.

Elle a même failli ne pas venir à la réunion. Elle n'a pas fini ses devoirs et elle a tant de choses en tête qu'elle a pensé qu'elle aurait du mal à se concentrer. Mais l'intérêt qu'elle porte au comité a vite repris le dessus.

À la fin de la réunion, le président du comité leur annonce la tenue d'une levée de fonds. Il veut des suggestions.

— Mais pas ce soir, dit-il. Pensez-y jusqu'à la prochaine fois.

Quand Sophie sort, la nuit est claire.

Sous les ombres des chênes, une voix lui crie:

— Alors, Sophie, tu as sauvé des baleines, ce soir? Antoine!

Il sort de derrière un arbre et se tient au pied de l'escalier à la regarder. Il s'est fait couper les cheveux.

Après lui avoir dit « Bonjour ! », elle ne veut plus rien dire, de peur que les mots se bousculent dans sa bouche.

— Je faisais une recherche et je t'ai vue entrer, lui dit Antoine.

— Je ne t'ai pas remarqué.

Il rit.

— Tu avais un air décidé.

— J'étais en retard.

— J'ai entendu dire que tu as passé une journée assez mouvementée, dit-il.

Sophie sent le rouge lui monter aux joues. Denise a osé parler à Antoine de tout cela !

— Eh bien, fait-elle sans bouger. Il faut que je rentre.

— Quelqu'un vient te chercher ? lui demande Antoine.

— Jeff… notre homme de maison.

— Ah oui. Denise m'a parlé de lui.

Mademoiselle grande langue, pense Sophie. Mais elle chasse aussitôt cette pensée qu'elle juge méchante et inutile.

— Il m'a dit de lui téléphoner si je voulais qu'il vienne me chercher.

— Je peux peut-être marcher avec toi jusque chez toi ? lui dit Antoine.

Sophie hésite, elle ne veut pas paraître trop heureuse.

— Si tu ne veux pas, fait-il en interprétant mal son attitude, je ne veux pas te déranger.

— Oh, tu ne me déranges pas, l'assure-t-elle en descendant l'escalier.

— Que faites-vous pendant ces réunions ? lui

demande Antoine tandis qu'ils longent l'allée de la bibliothèque.

— Des tas de choses, répond Sophie. On écrit des lettres, on fait des levées de fonds. Mais la plupart du temps, on renseigne les gens sur ce qui se passe.

— Tu crois que ça donne quelque chose?

— Évidemment. Si tout le monde s'y intéressait, les choses changeraient.

— Tout le monde? C'est beaucoup demander, non?

En terrain familier, Sophie se sent plus détendue.

— Mais c'est très important! Te rends-tu compte que des deux cent mille baleines bleues qui vivaient avant 1970, il n'en reste plus que six mille cinq cents! Et il n'y a pas que les baleines: il y a les morses, les phoques… toutes sortes d'animaux menacés. Il faut faire quelque chose parce que ça a des répercussions sur l'humanité tout entière.

— Il y a bien des choses à faire, Sophie. Mais pas beaucoup de temps.

— Tant de choses à faire et si peu de temps pour les faire!

Antoine se met à rire.

— On dirait un slogan.

— C'en est un. Elle ouvre sa veste et lui montre son T-shirt. C'est Nathalie qui me l'a offert à Noël.

— Tu es vraiment sérieuse, hein? fait Antoine d'une voix pleine d'admiration.

— Il le faut bien.

— As-tu déjà vu une baleine? lui demande-t-il.

— Non. Et toi?

— Une année, on était en Californie à l'époque des migrations. Je me suis assis avec des jumelles et j'ai observé leurs souffles pendant des heures. Et ces queues gigantesques!

— Un jour j'irai en voir, dit Sophie.

— Ne t'approche pas trop, fait Antoine en riant.

— Oh, mais oui! Le plus près possible!

— C'est ce que je voulais aussi. J'avais une vision tellement romantique de ces animaux. Et puis, on est partis en excursion pour les voir. Quelle déception!

— Comment ça?

— Elles sont pleines de cicatrices et...

— Des marques de harpons sans doute, dit Sophie d'un ton indigné.

— Et des trucs qui poussent dessus.

— Des mollusques.

— Enfin. Ce n'était pas vraiment comme je me l'étais imaginé.

— Ça ne veut pas dire qu'il ne faut rien faire pour les sauver, dit Sophie qui sent son sang bouillir. On ne peut pas laisser mourir ces bêtes juste parce qu'on ne les trouve pas parfaites!

— Ne t'énerve pas, Sophie, dit Antoine en riant. Je suis de ton côté. Promis.

— Tu voudrais porter ça? lui demande-t-elle en sortant de sa poche un écusson du Comité de sauvegarde.

— Avec fierté, répond-il. Mais au moment où il va l'épingler, il se ravise et dit:

— À condition que tu me l'épingles toi-même.

Elle prend l'écusson et l'épingle sur le chandail d'Antoine en espérant qu'il ne remarquera pas ses mains trembler.

CHAPITRE 6

Nathalie entend la sonnerie du téléphone au loin, mais elle ne parvient pas à se lever. Elle est trop épuisée.

— Nathalie est couchée, répond madame Ryan à Sophie.

Sophie est déçue. Dès qu'Antoine est parti, elle s'est précipitée sur le téléphone. Elle voulait parler de tout cela à Nathalie avant que quelqu'un d'autre ne s'en charge. En plus, elle a envie de se confier à une amie.

— Elle n'est pas malade, au moins?

— Juste fatiguée, je crois.

Sophie est soulagée. Elle verra Nathalie à l'école demain. Elle trouvera bien un moyen de lui parler en privé. Pour l'instant, elle doit se contenter de tout dire à son journal. Elle l'ouvre à la page du jour et réécrit *ensemble*, le mot qu'elle a rayé plus tôt.

Sophie est partie très tôt pour l'école, espérant voir Nathalie avant tout le monde. Mais, hélas, alors que d'habitude elle arrive parmi les premières, Nathalie est la dernière, aujourd'hui.

— Où étais-tu? lui demande Sophie. Je voulais te parler. Comment ça va? Tu as l'air bizarre.

— Je me sens encore plus bizarre, répond Nathalie.

— Qu'est-ce qui se passe?

— Je ne sais pas. C'est peut-être ce que j'ai mangé.

— Tu devrais rentrer chez toi.

— Je ne veux pas rater le cours de bio. C'est le labo aujourd'hui.

La cloche se met à sonner.

— Mais si tu ne te sens pas bien…

Nathalie donne une petite poussée à son amie.

— Allez, on va être en retard.

Sophie hésite.

— Tu es sûre?

— Absolument, répond Nathalie. Je vais bien.

Les ennuis de Nathalie font oublier Antoine à Sophie. Temporairement du moins. Car, tandis qu'elle est assise à son bureau à attendre monsieur Mario qui est en retard, elle repense à lui. Antoine! Elle ne peut pas prendre le risque d'en parler ici. Trop d'oreilles indiscrètes. Elle sort une feuille de papier.

À l'avant de la classe, Jérémie et Mathieu lancent des élastiques contre la carte géographique.

— Pas la mer Adriatique, idiot! fait Mathieu. L'Italie! Laisse-moi te montrer.

— Pas question, Mathieu, proteste Jérémie. C'est encore mon tour.

Nathalie, écrit Sophie, *hier soir, Antoine était à la bibliothèque. Il m'a attendue!*

Nathalie s'est levée pour aller tailler son crayon à l'arrière de la classe.

Sophie ne peut tout de même pas mettre le mot sur son bureau. On pourrait le voir. Elle recommence.

Devine qui était à la bibliothèque hier soir? Devine qui m'a attendue? Devine qui m'a raccompagnée chez moi?

Quelqu'un crie : « Voilà monsieur Mario! »

Mathieu retourne à sa place, laissant Jérémie tout seul.

Sophie plie la feuille et la pose sur le bureau de Nathalie. Dans la cohue des élèves qui se ruent à leur place, elle ne sait pas si Nathalie a lu son mot.

Pris au piège, Jérémie fait semblant d'étudier la carte tout en poussant du pied les élastiques qui traînent.

Monsieur Mario entre dans la classe. Il s'arrête en apercevant Jérémie.

— B'jour, monsieur Mario, fait ce dernier. J'étais justement… en train d'admirer votre carte.

En poussant un soupir, monsieur Mario examine la carte.

— J'imagine que tu n'as pas remarqué ce trou?

— Un trou? Où ça? fait Jérémie d'un air horrifié.

— Dans l'Italie, répond d'un ton outré monsieur Mario qui tourne le dos à Jérémie.

En se penchant pour ramasser les élastiques, Jérémie jette un regard à Mathieu.

— Non, monsieur, je ne vois aucun trou.

— Juste au bout de la botte.

Jérémie met les élastiques dans sa poche et se penche davantage.

— Oh là là, quel gouffre!

Deux élastiques tombent de sa poche. La classe retient son souffle, attendant que monsieur Mario le remarque.

Celui-ci prend du ruban adhésif sur son bureau. Puis il hésite. Il fait des yeux le tour de la classe et son regard s'arrête sur Jérémie.

Il sait!

— On devrait peut-être appeler un cordonnier.

Jérémie est le premier à rire.

— Ah, elle est bien bonne celle-là, monsieur Mario !

En riant toujours, il retourne à son bureau, laissant derrière lui une traînée d'élastiques.

Quand la cloche sonne, Sophie se tourne vers Nathalie, mais Denise s'interpose.

— Tu te sens bien ? demande-t-elle à Nathalie.

Celle-ci sourit faiblement.

— Veux-tu prendre ma température, Denise ?

Sophie est bien embarrassée. Elle n'a plus le temps de parler à Nathalie. Et elle ne dira rien devant Denise. Elle le répéterait à Antoine.

Désespérée, elle murmure à l'oreille de Nathalie : « As-tu lu mon mot ? »

Nathalie n'entend pas.

À midi, Nathalie ne s'est pas montrée. Sophie mange très vite et part à sa recherche. Elle trouve son amie en train de s'examiner la figure dans la toilette des filles.

— Enfin ! fait Sophie. Je te cherche partout ! As-tu mangé ?

En marmonnant, Nathalie se regarde les yeux.

— Il faut que je te parle, dit Sophie.

— Du moment que ce n'est pas de nourriture, répond Nathalie. Elle se tourne vers Sophie et tire la langue. Regarde ça ! Elle est pâteuse !

Mia entre pour arranger ses cheveux verts et se mettre un peu de rouge à lèvres noir.

— On va bien ensemble, toi et moi, dit-elle à Nathalie.

— Verte, je suis verte ?

— Pas vraiment verte, répond Sophie. Olivâtre, plutôt. Tu devrais peut-être rentrer chez toi.

Nathalie ramasse ses affaires.

— Après le cours de bio. Viens, on va être en retard à la réunion de Simon.

— Oh non, j'avais complètement oublié! fait Sophie.

Nathalie penche la tête pour que personne ne remarque son teint. Arrivée à la porte de la salle de réunion, elle s'arrête.

— Qui est là? demande-t-elle à Sophie.

— Simon. Et Johanne.

Nathalie grogne. Le jour où le secondaire II a dirigé l'école, Johanne était en charge de la cafétéria et Nathalie en garde un souvenir très amer.

— Simon croit qu'elle a un bon sens de l'organisation, dit Sophie qui a deviné les pensées de son amie.

— Je crois qu'il ne sait pas comment s'épèle le mot « a-u-t-o-r-i-t-a-i-r-e ».

Nathalie veut rire mais son rire se change en plainte.

— Aouuuh! gémit-elle.

— Où as-tu mal? lui demande Sophie.

— Partout!

Simon aperçoit Sophie à la fenêtre et vient ouvrir la porte.

— Je pensais que vous aviez oublié.

— Tout le monde est là? lui demande Sophie.

— Il manque quelqu'un mais il devrait être là bientôt. On a commencé sans vous.

Nathalie lève la tête.

— Alors, on peut partir?

— On n'a rien décidé encore. J'ai pensé faire un chili

con carne — Nathalie frissonne — c'est une bonne idée mais...

— Un chili con carne, fait Nathalie.

— On ne peut pas voter tant qu'on n'a pas toutes les propositions. Moi j'ai suggéré des hot-dogs — l'estomac de Nathalie se plaint — parce que c'est plus simple.

— Des hot-dogs, répète Nathalie.

— Décide-toi, Nathalie! fait Johanne.

Bertrand Hamelin ouvre la porte

— Désolé d'être en retard.

Nathalie se sent blêmir. Elle lève un peu la tête. Bertrand est là, grand, bien bâti, souriant et tellement en santé. Nathalie n'en peut plus.

— Bertrand Hamelin, fait-elle.

— Ça va, Nathalie? lui demande-t-il. Tu as l'air tellement pâle.

« C'est mieux que verte », pense-t-elle.

Au moment où Bertrand s'assoit près d'elle, Nathalie se lève précipitamment :

— Je crois que je vais être...

La main sur la bouche, elle sort de la pièce en courant.

— Mais qu'est-ce que j'ai dit? demande Bertrand derrière elle.

Le cours de biologie est un véritable désastre. Sophie, qui ne pense qu'à Nathalie et à Antoine, accumule les maladresses. Monsieur Morrissette, le professeur, s'arrête sans cesse près d'elle et Denise pour voir si elles avancent, ce qui n'est pas le cas. Et Simon qui ne cesse de la regarder!

À deux reprises, Sophie casse l'oeuf nécessaire pour leur expérience sur l'osmose. .

— Va chercher le vase à bec, lui dit Denise. Moi je m'occupe des oeufs.

Sophie remplit le vase d'eau. Simon s'approche d'elle.

— Que se passe-t-il, Sophie? lui demande-t-il.

Comme elle se tourne pour lui faire face, l'eau jaillit du vase.

— Regarde ce que tu m'as fait faire! dit-elle d'un ton fâché qu'elle regrette aussitôt.

Simon prend un linge et essuie le dégât.

— Je ne voulais pas te faire cet effet-là.

— Ne fais pas attention, Simon. J'ai les nerfs en boule.

— Je le vois bien! Quelque chose ne va pas?

— Nathalie est malade.

— Mais toi? lui demande-t-il en la fixant de ses grands yeux bleus.

Évitant son regard, elle prend une serviette pour essuyer son tablier.

— Je ne suis pas douée pour ce genre de chose, admet-elle en parlant du laboratoire. C'est Nathalie qui fait l'expérience d'habitude. Denise et moi, on fait le rapport.

Simon ne dit rien et retourne à sa place.

— Si tu as besoin d'aide, siffle, lui dit-il.

Le cours achève et elles n'ont pas tellement avancé.

— Il faudra revenir après les cours pour terminer, soupire Denise.

— Je ne peux pas, dit Sophie. Je dois aller au centre d'accueil.

— Alors, en fin de semaine? lui suggère Denise. Tu pourrais venir à la maison!

La maison d'Antoine! C'est tentant mais Sophie n'est pas certaine de pouvoir.

Ou chez moi, propose-t-elle.

Denise secoue la tête.

— Ce serait mieux chez moi. Antoine est bon en bio. Il pourrait nous aider.

Sophie sent son coeur battre à toute allure.

— Tu crois qu'il accepterait? demande-t-elle. Je veux dire... tu as dit qu'il était tellement déprimé...

— Il a l'air d'aller mieux, dit Denise. Il semble encore un peu abattu, mais au moins il ne me suit plus partout pour parler. D'après moi, il a trouvé quelqu'un d'autre à embêter. En tout cas, ça lui fera du bien de nous aider. Il pensera à autre chose.

En sortant de l'école, Sophie se sent heureuse. C'est elle qu'Antoine a choisie pour confidente. Et c'est loin de l'embêter!

En passant au pas de course sur le terrain des plus vieux, elle entre en collision avec un groupe de jeunes filles.

La plus petite la regarde en battant furieusement des paupières.

— Vieillis donc! dit-elle.

C'est Guylaine Hamel!

En baissant le regard sur les yeux violets de Guylaine, Sophie se sent soudain toute petite.

CHAPITRE 7

Dès qu'elle rentre du centre d'accueil, Sophie téléphone à Nathalie. La sonnerie retentit douze fois.

— Il n'y a personne, dit-elle à Jeff d'un ton alarmé. Nathalie est peut-être à l'hôpital?

— Ou bien elle dort, dit Jeff.

— Mais sa mère répondrait!

— Pas si elle est encore au bureau.

Sophie n'avait pas pensé à cela. Madame Ryan est venue chercher Nathalie à l'école mais elle est peut-être retournée au bureau après.

Sophie veut en avoir le coeur net.

— Je vais apporter les devoirs à Nathalie.

— Vas-y avec Éric, lui suggère Jeff. Il doit aller à la bibliothèque.

Éric est assez vieux pour aller tout seul à la bibliothèque, mais s'il n'est pas acccompagné, il oubliera l'heure et rentrera trop tard.

— N'oublie pas que tu es venu faire tes devoirs, rappelle Nathalie à son frère en le laissant à la bibliothèque, un « Livre dont vous êtes le héros » à la main. Je reviens dans une demi-heure.

Au dehors, Jérémie attend. Il a vu Sophie et Éric entrer à la bibliothèque et il a décidé de leur tendre une embuscade. Lorsque Sophie sort, toute seule, il ne sait plus quoi faire. Il aime bien Sophie. Elle est toujours gentille, même quand elle lui crie des noms. Et ces derniers jours, elle est devenue mystérieuse, comme si elle avait un secret. C'est fascinant. Et apeurant.

Sans même y penser, il se met à courir vers elle. Il a plusieurs mètres à franchir. Il la dépasse, laisse tomber sa planche à roulettes, saute dessus d'un mouvement souple.

— Oh, Jérémie! s'écrie Sophie. Tu m'as fait peur!

— Le saut de la bombe, fait Jérémie en expliquant la manoeuvre.

Sophie se met à rire.

— C'est le bruit que ça a fait.

Debout sur sa planche, Jérémie la suit.

— La plupart des gens ne savent pas que c'est complexe, la planche à roulettes.

Sophie n'a pas tellement le coeur à entendre parler des derniers développements techniques en planche à roulettes, mais elle ne veut pas non plus blesser Jérémie.

— Tu m'en parleras un de ces jours, dit-elle.

— Pourquoi pas maintenant? dit-il, en se surprenant lui-même. Je pourrais même te montrer quelques manoeuvres de base.

— Je n'ai pas le temps, Jérémie. Je vais voir Nathalie.

— Je croyais qu'elle était malade.

— Elle l'est. C'est pourquoi je vais la voir.

— Je t'accompagne. Elle a sûrement besoin de se faire remonter le moral.

— C'est très gentil, Jérémie. Mais elle est probablement couchée.

Il hausse les épaules.

— Je t'accompagne de toute façon. Pour te tenir compagnie.

Il l'a fait. Et maintenant? De quoi va-t-il bien pouvoir lui parler? Et si Sophie lui dit de foutre le camp?

Il la dépasse et se retourne en souriant. Dans le soleil couchant, ses cheveux roux font un halo autour de sa tête.

Il n'est pas si terrible. Pas quand il est seul et qu'il ne fait pas le fanfaron. Sophie se souvient comme il a disparu pendant le voyage à Toronto. Quand on l'a retrouvé à la gare, il a avoué qu'il s'ennuyait de chez lui. Elle en avait été tout émue. Les gens sont souvent bien différents de l'image qu'ils projettent.

Elle s'approche de lui. Il saute alors de sa planche et court se cacher derrière un buisson. Bon, à quoi joue-t-il maintenant?

Sophie dépasse le buisson sans se retourner. Soudain, elle sent un jet d'eau glacé dans son dos. Elle se retourne vivement. Jérémie est là, avec un boyau d'arrosage braqué sur elle.

— Crétin! explose-t-elle. Tu ne vieilliras donc jamais! Elle tourne les talons et détale.

Jérémie pousse un rire sadique.

— Hé, Sophie, on t'a déjà dit que tu étais une poule mouillée?

«Jérémie, c'est vrai que tu es un crétin», se dit-il.

— Crétin! dit Sophie en se séchant les cheveux.

Couchée dans son lit, Nathalie marmonne des sons d'approbation.

— Au moment où je commençais à le trouver gentil, il me joue ce mauvais tour! continue Sophie.

Nathalie se met à tousser.

— Quelqu'un doit faire quelque chose à son sujet !
poursuit Sophie.

Nathalie se râcle la gorge.

— Lui apprendre à se tenir !

Nathalie prend un mouchoir de papier.

— C'est un danger public !

Nathalie se mouche.

— Il faudrait des lois contre ce genre de personnes !

Nathalie pousse un bâillement.

— Il faudrait l'enfermer.

Nathalie ferme les yeux.

Sophie éteint le séchoir et se penche vers le miroir de
Nathalie. Ce crétin de Jérémie a réfréné son besoin de
parler d'Antoine à son amie, mais à présent, il est
temps. Ce sera sûrement un choc pour Nathalie, surtout
qu'elle est malade.

Elle tire ses longs cheveux noirs pour qu'ils aient la
même longueur que ceux de Guylaine.

— Je pourrais peut-être me faire couper les cheveux ?
dit-elle.

Nathalie ne répond pas.

Sophie laisse retomber ses cheveux sur ses épaules et
secoue la tête.

— Non. Je les aime comme ça. Pourquoi les couper ?
Pourtant, il me faut un changement. Mes yeux peut-
être ? Je devrais mettre plus de maquillage. Du violet ou
quelque chose du genre. Dorothée m'a conseillé de le
faire, au début de l'année, tu te souviens ? Pour faire
ressortir mes yeux.

Nathalie reste silencieuse.

Toujours penchée vers le miroir, Sophie dit :

— Nathalie, as-tu lu mon mot, ce matin ?

Elle se retourne.

Nathalie s'est endormie.

Après le souper, Sophie prend le téléphone pour appeler Denise. Et si c'est Antoine qui répond ? Elle raccroche. Denise est son amie, non ? La seule façon de ne pas tomber sur Antoine, c'est de ne pas téléphoner. Que va penser Denise ? Elle prend le récepteur et compose les trois premiers chiffres. Elle hésite. Et si Antoine répond et pense qu'elle veut lui parler à lui ? Il va croire qu'elle lui court après !

Une voix d'ordinateur dit : « Veuillez raccrocher et composer de nouveau. S'il vous plaît, veuillez raccrocher. »

Sophie raccroche. Denise la rappellera sans doute. Après tout, c'est elle qui a proposé de finir l'expérience de biologie chez elle.

Sophie descend pour parler à Jeff. Il est au salon et regarde la télévision avec son amie, Diane.

Lorsque Sophie entre dans la pièce, Diane lui sourit. Elle fait bien plus jeune que ses quarante ans. Elle doit avoir au moins dix ans de moins que Jeff. C'est la première fois qu'elle pense à cela. Cela ne lui a jamais semblé important. Mais à présent...

— Sophie ? fait Diane.

Elle devait avoir les yeux dans le vide.

— Ça va, Sophie ? demande Jeff.

— Très bien, répond Sophie. Je me demandais seulement ce que faisait tout le monde.

— Mon petit vice du vendredi soir, explique Diane. Un vieux film et du maïs éclaté.

71

— Hé, proteste Jeff, et moi?

Diane se met à rire.

— Je suis contente que tu sois là, aussi!

Sophie aime bien les voir ensemble.

— Du maïs? lui offre Jeff.

— Peut-être plus tard. J'ai un coup de téléphone à donner.

— Allô.

Antoine!

Sophie couvre de la main le récepteur et prend une profonde respiration.

— Allô? fait Antoine. Sophie?

Elle ravale sa salive.

— Antoine? Allô. Denise est là? Je dois lui parler de… — elle ne peut pas dire « de devoirs », ça fait trop ridicule — … de quelque chose.

— De garçons? se moque Antoine

C'est encore plus ridicule.

— De biologie. D'habitude, Nathalie fait le laboratoire et nous on prépare le rapport. Mais Nathalie est malade et elle a dû partir et j'ai cassé deux oeufs pour l'expérience et… Elle sait que les phrases se bousculent les unes sur les autres mais elle ne parvient pas à s'arrêter. Quand Antoine l'interrompt, elle se sent soulagée.

— Nathalie est malade? Malgré la médecine préventive?

Sophie aurait bien voulu trouver une bonne réplique mais rien ne lui vient à l'esprit. À la place, elle se met à rire.

Elle entend la voix de Denise qui dit : «Donne-moi le téléphone, Antoine. »

— Un instant, Denise, réplique Antoine. Je n'ai pas fini.

— Mais c'est pour moi, dit Denise.

— Sophie, à qui préfères-tu parler, à Denise ou à moi? La voix d'Antoine faiblit.

— Allô, Sophie? dit Denise. Excuse mon frère.

De quoi? se demande Sophie.

— Ça ne fait rien, dit-elle.

— Alors, pour demain? lui demande Denise. Tu viens ici?

— Je travaille à la Société protectrice des animaux, demain matin, mais après je…

— Parfait. Viens le plus tôt possible. À demain.

Clic. Denise a raccroché. La voix d'Antoine résonne dans sa tête. *Sophie?* Il prononce son nom d'une façon tellement spéciale.

CHAPITRE 8

À la porte des Ricard, en attendant qu'on vienne lui ouvrir, Sophie tire sur sa jupe. Elle a passé toute la soirée à penser à ce qu'elle pourrait bien mettre. Elle n'avait pas le temps de se changer après le travail à la Société protectrice des animaux. Avant de se coucher, elle a décidé de porte un jean et un chandail rouge. Et puis, ce matin, elle y a pensé : Guylaine porte toujours une jupe. Elle a tout sorti du garde-robe et elle s'est finalement décidée à porter sa jupe noire et un chandail pêche. Grossière erreur. La jupe est trop courte même pour travailler derrière le comptoir. Mais ça aurait pu être pire. Elle aurait pu être obligée de travailler au chenil.

Elle entend quelqu'un venir. Antoine ? Son coeur bat très fort.

Lorsque Denise ouvre la porte, Sophie entend la voix de Bruce Springsteen qui retentit dans la maison.

— Denise ! dit Sophie.

Denise se met à rire.

— On dirait que tu es surprise !

Sophie se ressaisit.

— Je le suis ! J'ai toujours l'impression que c'est un valet qui va venir m'ouvrir ! Elle ne ment pas vraiment. La maison des Ricard est immense. Jamais Sophie n'a vu de demeure aussi grande.

Denise recule d'un pas, salue et fait signe à Sophie d'entrer.

— Monsieur Ricard vous attend, dit-elle cérémonieusement.

Sophie prend une grande respiration, dit « Merci » et entre en regardant autour d'elle comme si c'était la première fois qu'elle mettait les pieds ici.

Elle suit Denise jusqu'à la cuisine.

— Je me suis occupée de l'oeuf, dit Denise.

Sophie examine l'expérience.

— Tu n'as pas oublié le sel? demande-t-elle.

— Non, non. Et j'ai ajouté le colorant alimentaire bleu. On verra mieux les cristaux quand l'osmose aura lieu. En attendant, tu pourrais faire les graphiques, moi je vais commencer le rapport.

Sophie sort son cahier de notes de son sac.

— On sera mieux dans la salle de séjour, dit Denise.

Sophie hésite, elle est sûre qu'Antoine est dans cette pièce.

— J'ai cru entendre quelqu'un là, dit-elle.

— C'est seulement Antoine. Il préfère écouter la musique dans cette pièce plutôt que dans sa chambre. D'ailleurs, il m'a dit qu'il nous donnerait un coup de main.

Sophie la suit en prenant de grandes bouffées d'air. Il n'y a plus un bruit. Antoine a dû éteindre l'appareil. Est-il encore là?

Denise frappe à la porte et l'ouvre.

Étendu sur un divan blanc qui fait le tour de la pièce, Antoine fixe le toit cathédrale. Il ne semble pas les avoir entendues entrer.

— Nous ne voulons pas te déranger, lui dit Denise.

— Qu... ? fait-il en se levant d'un bond et en souriant

à Sophie. Il a épinglé l'écusson de Sophie sur son T-shirt.

Elle, elle a oublié le sien. Pourvu qu'il ne le remarque pas.

— Salut, dit-il.

Sophie se sent rougir. Heureusement, Denise est occupée à débarrasser la table.

— Salut, fait Sophie en lui rendant son sourire.

— L'expérience est en cours, dit Denise. Et on ne peut pas faire grand-chose jusqu'à ce qu'il se passe ce qui devrait se passer... si l'expérience fonctionne. Mais tu pourrais nous aider à faire les problèmes. Notre prof adore les problèmes. Tu les as, Sophie?

L'esprit de Sophie est en retard d'une ou deux phrases. Quand elle rattrape le temps perdu, elle détourne le regard d'Antoine et pose son sac sur la table.

— Je me souviens de l'un d'eux, dit-elle en fouillant dans ses papiers. Il y a deux récipients. Dans le premier, une cellule. Dans l'autre, deux. Il faut huit minutes à chaque cellule pour se diviser. S'il faut trois heures aux deux cellules pour remplir le récipient, combien de temps faudra-t-il à une seule cellule?

— Je ne me souviens pas de celui-là, fait Denise en cherchant dans son cahier.

— On dirait plus des maths que de la bio, fait Antoine.

Sophie regarde ses notes. Le problème n'y est pas. Elle se sent ridicule et sourit faiblement.

— C'est un problème de maths, en effet. Excusez-moi.

— Tu connais la réponse? lui demande Antoine.

— Facile, répond Denise. Six heures.

— Tu es sûre?

— Absolument, fait Denise. Si ça prend trois heures pour deux cellules, ça en prend six pour une. Deux fois plus de temps.

— Qu'en penses-tu, Sophie?

Celle-ci hésite. Six heures, c'est trop facile, trop évident. C'est seulement pour cela qu'elle pense que c'est faux. Mais elle ne voudrait pas l'avouer à Antoine et courir le risque de passer pour une idiote.

— Eh bien, commence-t-elle, Denise a peut-être raison, mais je pense qu'en fait c'est trois heures et trois minutes.

— Ça ne se peut pas, fait Denise. Les yeux pleins d'admiration, Antoine rayonne.

— Sophie, dit-il, explique-lui donc.

Son ton conspirateur donne à Sophie l'impression d'être très intelligente.

— Je me demande comment j'ai pu être aussi idiote! dit Nathalie à sa soeur. Tomber malade devant Bertrand Hamelin!

Sylvie termine sa salade et va porter son assiette dans l'évier.

— Encore de la soupe? demande-t-elle à Nathalie.

Nathalie secoue la tête. Elle se sent mieux mais l'appétit lui manque encore.

— Une tasse de soupe me suffit. Je n'ai vraiment plus faim.

— C'est déjà bien, fait Sylvie.

Hier Nathalie n'a rien pu avaler.

— C'est très bon la soupe au poulet. Il y a quelque chose là-dedans qui aide à soigner la grippe. Même les revues médicales le reconnaissent. À propos de Bertrand, qu'est-ce que je vais faire lundi en le revoyant, à l'école ?

— Vous vous verrez tous les deux, fait Sylvie avant de sortir.

— Merci beaucoup de ton aide, dit Nathalie.

Elle regarde l'horloge. Sophie doit être rentrée de son travail, à présent. Il faut qu'elle lui téléphone. Ensemble, elles trouveront une solution pour le cas de Bertrand.

C'est Éric qui répond.

— Sophie n'est pas là, dit-il à Nathalie. Je ne sais pas où elle est.

Nathalie entend la voix de Jeff.

— Jeff dit qu'elle est chez Denise, répète Éric.

— Qu'est-ce qu'elle fait là ?

— Comment veux-tu que je le sache ? s'énerve Éric. Salut.

Il a raccroché.

Nathalie est bien embêtée. Pourquoi Sophie ne lui en a-t-elle pas parlé ? Qu'est-ce qu'elle essaie de cacher ? « Ridicule, se raisonne-t-elle. Denise ne peut pas se mettre entre nous. Je me sens délaissée seulement parce que je suis malade. »

Sophie viendra sûrement la voir un peu plus tard. Entre temps, elle doit se reposer.

Jamais Denise ne s'est sentie aussi abandonnée, même durant les premiers jours à l'école. Antoine et Sophie semblent l'avoir complètement oubliée.

Au lieu de faire les problèmes de biologie, ils parlent du comportement des animaux.

Denise en a assez. Elle ferme violemment son livre, se lève et sort en furie de la pièce.

Amusé, Antoine la regarde partir. Puis, il regarde Sophie et dit : « Oups ! »

Sophie se met à ricaner.

Quelques instants plus tard, le téléphone sonne et Denise revient.

— C'est pour toi, dit-elle à son frère, en ajoutant avec emphase : « Une fille ».

Antoine est persuadé que c'est à l'intention de Sophie.

— Je réponds à la cuisine, dit-il en traversant la pièce. À un de ces jours, Sophie.

Qu'est-ce que Denise a bien pu manger ? se demande-t-il. Les seules fois où il l'a vue dans un tel état c'est quand il a amené Guylaine à la maison. D'abord, il croyait qu'elle était jalouse, et puis il est devenu évident que Guylaine et Denise ne s'aimaient pas du tout. Pourquoi a-t-elle réagi de la même manière avec Sophie ? Mystère. Sophie est pourtant son amie. Il essaie juste d'être gentil.

CHAPITRE 9

— Ça ne fonctionne pas, dit Denise à Sophie. Il n'y a pas le moindre cristal sur la coquille.

Sophie change le récepteur d'oreille.

— Ça ne fait peut-être pas assez longtemps?

— Mais non, Sophie. J'ai dû faire une erreur quelque part. J'en suis sûre. Viens ici pour voir.

— Laisse-moi le temps de m'habiller. (Antoine sera peut-être là. Que devrait-elle porter? Il lui faudra plus que quelques minutes pour décider.) À une heure.

— Mais c'est dans deux heures! s'exclame Denise. Tu ne peux pas venir avant? On n'aura jamais les résultats à temps!

— Je viens le plus vite possible, fait Sophie.

Jeff lève les yeux du journal.

— C'est la crise?

— Non, une expérience en bio. Denise a tout fait rater. Je ne sais pas quoi mettre.

— Mets n'importe quoi, tu ne vas pas à une réception à ce que je sache.

Mieux que ça, se dit Sophie en grimpant les marches deux à deux. Dans sa chambre elle s'appuie le dos à la porte. Elle ne peut tout de même pas mettre son garde-robe sens dessus dessous encore une fois! Et Denise qui l'attend. Elle ouvre le garde-robe. Rien ne l'intéresse. Tout, sauf l'ensemble que lui a offert son père, lui semble trop enfantin. Et elle ne peut pas mettre l'ensemble: elle l'avait déjà sur le dos le jour où Antoine l'a raccompagnée. Finalement, son sens des responsabilités prend le dessus. Elle se décide à mettre son jean et son chandail rouge.

Au moment où elle va sortir, le téléphone sonne.

C'est Nathalie.

— Je peux te rappeler? lui demande Sophie. Je vais chez Denise.

— Oh, je ne veux pas te retarder, répond Nathalie en raccrochant. Quelle bonne amie, dit-elle tout haut en regardant la cuisine vide. Elle ne m'a même pas demandé comment j'allais.

Sophie soupire. Nathalie est tellement difficile parfois. Elle la rappellera plus tard pour lui expliquer. Pour l'instant, elle doit se dépêcher.

— N'oublie pas que ton père rentre aujourd'hui, lui crie Jeff depuis le pas de la porte tandis qu'elle s'éloigne.

C'est Antoine qui ouvre la porte.

— Tu es très jolie, lui dit-il. Le rouge te va à ravir.

— Merci, dit-elle. Elle voudrait bien lui dire qu'il est très beau lui aussi mais elle craint qu'il pense que c'est un compliment machinal. D'ailleurs, il doit le savoir qu'il est beau.

— Où est Denise?

— Dans la cuisine à regarder un oeuf.

Denise sort de la cuisine.

— Je suis contente que tu sois là!

Sophie la suit dans la cuisine. Antoine s'arrête à la porte, il s'appuie contre le mur et croise les bras.

— Tu n'as rien d'autre à faire? lui demande Denise.

Ses yeux noirs pétillent.

— Ça peut attendre.

— On n'a pas besoin de toi, lui dit Denise.

— Je ne vous ai rien offert, se moque Antoine.

Exaspérée, Denise se concentre sur l'oeuf.

— Qu'en penses-tu, Sophie?

— Il ne s'est rien passé.

— Ça je le sais! Mais qu'est-ce qu'on va faire?

Sophie sent le regard d'Antoine posé sur elle. Cela l'énerve. Elle veut prendre l'oeuf mais hésite. Et si elle le casse? Il la prendra pour une vraie maladroite!

— Tu as mis le sel?

— Tu m'as posé la même question hier.

— C'est vrai.

— Alors qu'est-ce qui a pu se produire?

Sophie secoue la tête.

Denise prend l'oeuf.

— Jetons celui-ci et recommençons tout.

Une idée vient de surgir à l'esprit de Sophie.

— Où as-tu mis le sel, Denise?

— Dans l'eau.

— Dans quelle eau? Celle qui est dans la coquille ou bien celle qui est dessous?

Denise réfléchit.

— Où fallait-il le mettre?

— Dans la coquille.

— Alors, c'est là que je l'ai mis.

— Tu en es certaine?

— Non, admet Denise. Je ne m'en souviens plus.

Sophie trempe son doigt dans la coquille et goûte l'eau. Elle goûte ensuite l'eau sous la coquille et fait la grimace.

— Je parie que je sais où tu l'as mis, se moque Antoine.

Denise lui envoie la coquille par la tête. Il sort précipitamment.

Nathalie téléphone juste au moment où elles préparent le deuxième essai.

— Je peux te rappeler? lui dit Denise. Sophie et moi, on est en train de faire quelque chose.

Nathalie est vexée. Sophie ne l'a pas appelée hier. Et aujourd'hui, elle et Denise sont trop occupées pour lui parler. Mais qu'est-ce qui peut être aussi important? Aucune des deux ne lui a demandé des nouvelles de sa santé. Très bien. Loin des yeux, loin du coeur. Elle va leur montrer!

Elle compose le numéro de Lucie.

— Lucie est avec Valérie et Dorothée, lui répond madame Amman. Je lui dirai de te rappeler.

— Non, non, ce n'est pas important.

La mère de Nathalie entre dans la cuisine.

— Qu'est-ce qui se passe? lui demande-t-elle.

— Tomber malade, c'est ce qu'il y a de plus affreux! s'exclame Nathalie.

— Tu te maquilles si bien les yeux! dit avec une pointe d'hésitation Sophie, assise sur le lit. Denise met plus de maquillage que la plupart des amies de Sophie, sauf Mia, mais elle l'applique si bien que cela paraît à peine.

Denise hausse les épaules et hoche la tête.

— Quand tes parents ont une compagnie de produits de beauté… dit-elle, comme si elle n'avait pas le choix.

— Moi, quand je me maquille, je ressemble toujours à Mia. Ou à Dani!

Denise éclate de rire.

— Dani est punk et Mia sait exactement ce qu'elle fait, dit Denise.

— Oui, mais moi je ne sais pas ce que je fais et ça paraît.

— Tu veux que je te montre?

— Tu ferais ça pour moi?

Denise ouvre un tiroir plein de produits de beauté. Elle fait signe à Sophie de s'asseoir.

— Ton visage est comme une toile, dit-elle. Et toi, tu es l'artiste.

Elle essaie plusieurs couleurs de fond de teint sur Sophie et opte enfin pour une teinte pêche. Elle applique aussi un peu de rose sur les pommettes.

— Tu as de très beaux yeux. Tu peux mettre à peu près toutes les couleurs.

— Violet?

— Ça serait parfait si tu ne portais pas de rouge. Essayons plutôt rose et jaune.

— Mais j'aurai l'air d'avoir des yeux au beurre noir!

— Laisse-moi faire. Le secret est dans la façon de mélanger.

Sophie est tellement absorbée par les gestes de son amie qu'elle ne remarque pas la métamorphose qui s'opère sur elle. Quand enfin Denise dit: «Voilà!», Sophie n'en revient pas.

Dommage qu'Antoine ne soit plus là pour la voir.

— C'est vraiment moi?

Denise se met à rire.

— Qui d'autre veux-tu que ce soit?

Lorsque Sophie entre dans la cuisine, Jeff est en train de chanter au rythme de la radio.

— Papa est rentré?

Jeff la regarde, secoue la tête et la quitte des yeux. Soudain, il cesse de chanter et regarde de nouveau Sophie en poussant un sifflement.

— Attends un peu que ton père te voit!

— Tu crois qu'il va aimer ça? fait Sophie en montrant son profil.

— Si je me souviens bien, une jolie fille du nom de Sophie est sortie d'ici il y a à peine deux heures.

Elle se retourne.

— Il n'aimera pas ça.

— Et maintenant, une belle fille du nom de Sophie vient de rentrer, continue Jeff.

Elle lui fait un large sourire.

— Belle? Vraiment?

Jeff sourit.

— Resplendissante. Une autre dose de ce soleil dont tu as parlé cette semaine?

— Peut-être, dit-elle en arborant un sourire énigmatique. On m'a téléphoné?

— Nathalie. Deux fois.

Sophie n'est pas pressée de rappeler Nathalie. Elle sait que celle-ci est fâchée et elle, elle se sent trop bien pour l'affronter. Mais si elle ne téléphone pas tout de suite, elle n'en aura peut-être plus la chance.

— Allô, Nathalie, dit-elle quand son amie répond. Comment vas-tu?

Il était temps, pense Nathalie.

— Mieux.

— Tu viens à l'école demain?

« Pourquoi ? se dit Nathalie. Denise et toi, vous avez planifié de faire quelque chose sans moi ? »

— Si je vais assez bien, dit Nathalie tout haut.

— Parfait ! Tu me manques.

Sophie a l'air sincère.

— Tu me manques aussi, fait Nathalie d'une voix plus douce.

— La biologie sans toi, ce n'est pas pareil. Nous avons tout raté vendredi, Denise et moi.

« La biologie ? pense Nathalie. Denise et moi ? » Elle ne dit rien.

« Elle est encore fâchée », se dit Sophie.

— Nous avons passé la journée d'hier à refaire l'expérience, mais Denise s'est trompée. Nous l'avons refait chez elle parce qu'Antoine — comme elle aime dire ce nom ! — nous a offert son aide. Il est bon en bio. Pas autant que toi, mais bon. Elle veut parler d'Antoine à Nathalie mais pas au téléphone. Alors, on a terminé l'expérience aujourd'hui et tu n'auras à t'inquiéter de rien.

Nathalie a noté un changement dans la voix de Sophie. Comme si elle avait décidé de dire autre chose que ce qu'elle avait prévu d'abord. « Elle a compris qu'elle m'a fait de la peine, se dit Nathalie. Je suis peut-être trop dure avec elle. »

— On pourrait faire quelque chose demain après l'école, dit-elle.

— Oh oui ! J'ai hâte de te parler !

— Mon foulard ! fait Nathalie avant de raccrocher. N'oublie pas de m'y faire penser ! Sylvie veut que je le lui prête. C'est monsieur Mario qui l'a.

— Tout est arrangé? demande Jeff à Sophie quand elle raccroche.

Elle n'est pas surprise de sa question, Jeff devine tant de choses !

— Je l'espère.

— Les rapports entre les gens ne sont pas toujours faciles.

— Diane et toi, vous ne semblez avoir aucun problème.

Jeff éclate de rire.

— Nous en avons pourtant.

C'est maintenant le moment de parler d'Antoine sans mentionner de nom.

— Diane est beaucoup plus jeune que toi, n'est-ce pas?

— Beaucoup? fait Jeff avec un regard horrifié. Qu'est-ce que tu entends par «beaucoup»?

— Dix ans?

— S'il te plaît, répond Jeff.

— Combien alors?

— Je ne sais pas exactement. Diane n'aime pas parler de son âge.

— Mais tu es plus vieux qu'elle.

— Malheureusement.

— C'est un problème, la différence d'âge?

— Entre nous? Non. Seulement pour moi.

— Parce qu'elle est plus jeune?

— Parce que je suis plus vieux.

Alors que Sophie tente de débrouiller tout cela, son père entre.

— Il y a quelqu'un? dit-il.

Sophie s'élance vers lui et l'embrasse.

Il la prend dans ses bras et l'embrasse à son tour.

— Attention, dit-il, tu vas me donner le torticolis.

Il la tient par la main et l'examine.

— Je pense que d'ici peu de temps elle va faire tourner bien des têtes, dit Jeff.

Monsieur Miller ne semble pas l'avoir entendu.

— Tu ressembles de plus en plus à ta mère, dit-il à Sophie. Il l'embrasse de nouveau. Alors, j'ai interrompu une conversation?

— Nous étions en train de parler des relations entre les générations, répond Jeff.

— Je me demandais si la différence d'âge causait des problèmes entre les gens, explique Sophie.

— Entre un homme et une femme, tu veux dire, fait son père.

— Ou… une fille et un garçon, dit Sophie en hésitant.

— Il y a du café? demande monsieur Miller à Jeff en s'assoyant à table. Ta mère était plus jeune que moi.

Sophie prend place en face de lui.

— Je ne savais pas.

Jeff sert un café à son patron et sort discrètement.

— Je ne t'ai jamais parlé de nos ombres?

Des ombres? Il semble avoir oublié le problème de la différence d'âges. Mais il parle souvent de sa mère à Sophie et quand celle-ci lui pose des questions à son sujet, son regard se voile et il dit «Le passé est le passé.» À présent, il semble avoir envie de parler d'elle.

— Ta mère disait que nos ombres allaient bien ensemble. On marchait main dans la main sur la plage et nos ombres se découpaient devant nous. Elles ne se ressemblaient pas vraiment mais elles allaient bien ensemble. C'est pour ça que ta mère a accepté de m'épouser.

— Juste parce que vos ombres allaient bien ensemble?

— Elle avait déjà décidé d'accepter mais cette histoire d'ombres n'a pas nui. Il regarde Sophie quelques secondes en silence puis reprend : Ne bouge pas. Il prend sa valise. Je n'avais pas le temps de t'acheter de cadeau mais…

— Tu n'as pas besoin de m'acheter quoi que ce soit.

— Reste là, je reviens. J'ai quelque chose de spécial pour toi.

Sophie le regarde sortir dans le hall en songeant qu'il ne peut rien lui donner de plus précieux que ce qu'il vient tout juste de lui offrir.

Cher journal. Aujourd'hui ça a été une journée parfaite. Denise et moi nous avons fait une expérience chez elle. Antoine était là. Il est teeeellement gentil. Teeeeellement beau. Quand il me sourit, je me sens bien. Denise m'a montré à me maquiller comme elle le fait si bien. Et mon père m'a offert le médaillon en or de maman.

Sophie dessine le médaillon en forme de coeur. Et elle poursuit : *À l'intérieur, il y a une photo d'eux le jour de leur mariage. Papa dit que je ressemble à maman. J'espère ; elle était magnifique.*

Sophie relit la page.

Dans le coeur, elle inscrit :

CHAPITRE 10

Appuyé contre son casier dans le vestiaire du gymnase, Mathieu attend Alexandre qui finit de se changer.

— Elle est bizarre Sophie, non?

Alexandre hoche la tête.

— Oui. Elle est différente.

— J'ai remarqué ça à la bibliothèque la semaine dernière, fait Jérémie.

Alexandre lève les yeux de son soulier qu'il est en train de lacer.

— Tu as vu Sophie à la bibliothèque? lance-t-il d'un ton presque accusateur.

— Et alors? dit Jérémie, sur la défensive.

— Quand? insiste Alexandre.

— Je ne sais pas. La semaine dernière, vendredi, je crois. Je l'ai attendue et...

Alexandre se lève lentement.

— Tu l'as *attendue*?

Jérémie recule.

— Bien, oui. Si on veut.

— Tu l'as raccompagnée chez elle?

Pour toute réponse, Jérémie hausse les épaules.

— Mais... c'est ça! conclut Alexandre.

— C'est ça quoi? demande Mathieu.

— Regarde! Alexandre tire de la poche de son jean une feuille de papier froissée et la tend à Mathieu. Lis ça!

En lisant, Mathieu remue les lèvres en silence. Puis, il secoue la tête.

— Je ne comprends pas.

— Laisse voir, fait Jérémie.

Alexandre fait mine de l'ignorer.

— Tu reconnais l'écriture ?

Mathieu regarde la feuille. Les points sur les i sont de petits cercles. Mathieu hausse les épaules.

— Donne-moi ça ! fait Jérémie en prenant la feuille. *Devine qui était à la bibliothèque hier soir ?* lit-il. *Devine qui m'a attendue ? Devine qui m'a raccompagnée ?* Il lève les yeux. C'est l'écriture de Sophie ! Où as-tu eu ça ?

— Je l'ai ramassé parmi les avions en papier ce matin avant que monsieur Mario arrive, explique Alexandre. Il était sous le radiateur.

— C'est écrit « hier soir », dit Mathieu. La bibliothèque n'est pas ouverte le dimanche.

— Elle l'a sans doute écrit vendredi, dit Alexandre.

Mathieu est encore plus mêlé.

— Jérémie a dit qu'il l'avait vue vendredi.

Jérémie relit le mot. Il est sûr d'avoir vu Sophie vendredi. C'est sans doute elle qui s'est trompée. Elle a dû écrire le mot ce matin. Dans son énervement, elle s'est trompée.

Alexandre et Mathieu le regardent.

Il sourit timidement.

— Jeudi, vendredi, qu'est-ce que ça fait ? dit-il.

— Et il l'a raccompagnée, dit Alexandre. Tout s'emboîte.

Jérémie ne s'obstine pas. Il ne l'a pas vraiment raccompagnée, mais en tout cas, il le lui a offert. Sophie a extrapolé.

— Ça explique tout! fait Alexandre.

— Tout quoi? lui demande Mathieu.

— Sophie est amoureuse.

Mathieu regarde Alexandre. Il a l'impression que la mise au jeu a eu lieu sans que les joueurs aient eu le temps d'entrer sur le terrain. « De *Jérémie*? »

Sophie caresse son nouveau médaillon. Denise l'a remarqué ce matin.

— Tu avais raison au sujet de l'ombre à paupières violette, dit-elle.

Sophie s'est levée une heure plus tôt que d'habitude pour tenter de reproduire l'effet que Denise a obtenu hier. Ça n'a pas été facile. Ses yeux coulaient, elle n'arrivait pas à contrôler le crayon, le mascara déviait, le fard se mélangeait mal. Elle a failli abandonner. Mais à la fin, elle était contente de ne pas l'avoir fait.

— Mais personne ne semble l'avoir remarqué, dit-elle.

— C'est ce qu'il faut, répond Denise. Quand Nathalie revient-elle?

— Je pensais qu'elle serait là ce matin.

Jérémie est le premier à voir les filles s'avancer vers eux. Il n'y a pas moyen de savoir ce que veulent faire Mathieu et Alexandre quand ils les verront. Et il a peur de rencontrer Sophie — il faut qu'il s'habitue à l'idée qu'elle l'aime bien. Il recule et prend un autre couloir.

Alexandre et Mathieu s'arrêtent net.

— Qu'est-ce qu'on fait? demande Mathieu.

— Agis normalement, lui dit Alexandre en sortant un peigne et en se le passant dans les cheveux.

Mathieu soulève les épaules et écarte un peu les bras de son corps.

À leur hauteur, les deux filles se séparent pour laisser passer les garçons.

— Sophie est amoureuse, ça se voit, fait Alexandre.

— Oui, mais de Jérémie?

En fait Alexandre a du mal à y croire, lui aussi. Pourquoi Sophie serait-elle attirée par Jérémie alors que lui, Alexandre, est dans sa classe? Il se dit que Sophie doit en fait l'aimer, lui, mais qu'elle fait la fille qui ne se laisse pas avoir facilement.

D'habitude, Sophie aime bien les cours d'anglais. Mais aujourd'hui, elle a du mal à se concentrer sur les verbes.

Quand monsieur Rochester lui demande de conjuguer le verbe suivant, elle sursaute.

— Aimer, dit quelqu'un.

Aimer, pense-t-elle, en cherchant dans son livre. AIMER! Ses mains deviennent moites, sa bouche se dessèche. Elle ne peut pas conjuguer ça!

— Tu es prête, Sophie? lui demande monsieur Rochester.

Sophie ravale sa salive.

— Aimer, commence-t-elle. J'aime...

Quelques rires se font entendre derrière elle. Alexandre se penche dans l'allée et regarde Jérémie.

— ... tu aimes; il aime; nous aimons; vous aimez; ils aiment.

— Parfait, Sophie, dit monsieur Rochester. Mais j'aurais préféré l'entendre en anglais.

De la cabine téléphonique du hall, Sophie téléphone à Nathalie.

— Pourquoi n'es-tu pas venue? lui demande-t-elle.

— Je ne me sentais pas bien ce matin, répond Nathalie.

— Tu viens demain?

— J'espère. Que s'est-il passé?

— J'ai fait une folle de moi au cours d'anglais.

— Comment ça?

— Je n'ai pas le temps de t'expliquer maintenant. Je m'arrêterai chez toi après l'école, d'accord?

— Super! Oh, tu me rapportes mon foulard?

Sophie rencontre monsieur Mario dans le couloir. Près d'eux, Jérémie fait semblant de lire les notes sur un babillard.

— Je n'ai plus le foulard, répond le professeur. Voyant que personne ne le réclamait, je l'ai envoyé au bureau des objets perdus.

Quand Sophie veut réclamer le foulard, après les cours, il a disparu.

Elle sort par une porte de côté où elle a donné rendez-vous à Denise. Il fait plus froid, l'air printanier a fait place à l'automne.

Elle boutonne son chandail et regarde Jérémie, sur sa planche à roulettes, qui zigzague entre les voitures garées. Il a quelque chose sur la tête. On dirait le chapeau de Mickey Mouse, sauf pour les couleurs.

En apercevant Sophie, il se dirige vers elle. Il porte —

— Le foulard de Nathalie! s'exclame Sophie.

Suzanne et Valérie descendent l'escalier en valsant.

— Il te pousse des oreilles de lapin, Jérémie? fait Suzanne.

— Oui, répond-il. Comme ça j'entends tout.

Profitant de ce moment de distraction, Sophie s'avance vers Jérémie. Au moment où elle va s'emparer du foulard, il vire à gauche et disparaît derrière l'édifice.

— Rapporte-moi ce foulard, espèce de crétin! s'écrie Sophie. Elle décide de faire le tour par l'autre côté. Elle réussira peut-être à l'attraper.

Elle s'apprête à tourner le coin quand elle entend une voix derrière elle.

— Est-ce que tu chercherais ça par hasard?

Elle se retourne et regarde dans les yeux noirs d'Antoine.

Il enroule le foulard autour du cou de Sophie et tient les deux bouts.

— Tu ne lâches pas facilement, dit-il.

— C'est le foulard de Nathalie, répond-elle, comme si cela expliquait tout.

Antoine l'examine pensivement.

— Tu as quelque chose de changé.

C'est le maquillage. Peut-être qu'elle a l'air ridicule et que personne n'ose lui en faire la remarque? En ce moment même, ils sont peut-être tous en train de rigoler.

— Comment?

— Je ne suis pas certain, répond Antoine. Il se recule

et penche la tête. C'est peut-être ta nouvelle épingle, fait-il en pointant l'écusson noir sur le col de Sophie.

— Elle n'est pas nouvelle. Seulement, ça fait un bout de temps que je ne l'avais pas mise.

Denise apparaît.

— As-tu réussi… Sa voix s'éteint quand elle aperçoit les yeux de Sophie.

Sentant la chaleur du regard de Denise, Sophie dit :

— Antoine a sauvé le foulard de Nathalie.

Antoine prend quelque chose dans sa poche.

— Si j'ai réussi? dit-il à Denise. Il sort un trousseau de clés d'auto et le fait cliqueter. Denise lui saute au cou.

— Alors, tu vas pouvoir me donner des leçons!

— Félicitations! dit Sophie en reculant. Au revoir, Denise.

— Tu ne veux pas que je te reconduise? lui demande Antoine.

Sophie hésite. Le demande-t-il seulement pour être poli?

— Bien sûr, Sophie, viens, renchérit Denise.

— Il n'y a pas de danger, promis, fait Antoine.

— Oh, ce n'est pas ça, se hâte-t-elle de dire.

— Alors viens.

— D'accord, répond Sophie. Elle sait qu'elle oublie quelque chose mais elle se dit que cela peut certainement attendre.

Denise et Antoine se dirigent en bavardant avec animation vers la voiture. Sophie marche derrière.

— Hé, Sophie! crie Simon depuis l'escalier.

Sophie lui envoie la main.

— Attendez!

Antoine se retourne.

— C'est la BMW, fait-il.

Sophie hoche la tête.

— J'arrive tout de suite.

Simon la rejoint.

— Tu as une minute?

— Pas maintenant, lui répond Sophie.

— Mais il faut que je te parle de la fête d'automne.

— Téléphone-moi ce soir, d'accord? Je ne veux pas faire attendre Denise.

Elle se retourne et court vers la voiture.

De la fenêtre du salon, Denise regarde Sophie monter à l'avant. Antoine a eu le culot de déposer sa propre soeur avant Sophie!

« Ça devient ridicule! » se dit-elle.

Sophie est amoureuse de son frère. Elle le regarde toujours avec des yeux adorateurs. Et Antoine en profite. Sophie se prépare une grosse déception.

Elle se souvient avoir souhaité que son frère sorte avec quelqu'un comme Sophie plutôt qu'avec Guylaine. Mais pas avec Sophie elle-même!

Elle pousse un soupir et laisse retomber le rideau.

— Tu veux que je ferme la fenêtre? demande Antoine à Sophie.

— Non, ça va.

— Tu as l'air d'avoir froid, dans ton petit coin.

Elle a froid mais elle a l'impression que c'est plutôt nerveux.

— Tout va bien, je t'assure.

— C'est ma saison préférée, dit Antoine.

— La semaine a été très belle, fait Sophie. Mais aujourd'hui!...

— L'air est frais, sec, le ciel est dégagé, le soleil brille. Que demander de plus?

— De la chaleur et des feuilles aux arbres. Ou des bourgeons, au moins.

— Ils sont très beaux les arbres. Allez, je vais te montrer, dit Antoine en garant la voiture au bord du parc.

Sophie sort de la voiture avant qu'il ait le temps d'ouvrir la portière.

— Ne te dépêche pas tant, dit-il. Les hommes aiment bien ouvrir la porte aux femmes.

Aux femmes! Les mots résonnent dans sa tête.

Antoine lui montre les arbres le long de l'allée.

— Ce n'est pas encore le moment le plus beau, dit-il. Pas tant que toutes les feuilles ne seront pas tombées. Mais ça donne une idée de ce que ce sera.

Les silhouettes délicates des arbres se découpent sur le ciel.

— C'est magnifique! fait Sophie.

— Je te l'avais dit.

La tête renversée vers l'arrière, Sophie regarde les arbres qui l'entourent.

— Ils sont si beaux!

Antoine se met à rire.

— Attention, tu vas être étourdie.

Sophie est déjà étourdie!

— Comment se fait-il que je n'aie jamais remarqué ça? demande-t-elle.

— Tu l'as vu, mais tu n'y as pas fait attention.

Ils bifurquent. Sophie remarque alors deux formes

sombres devant eux. Leurs ombres ! Elles sont longues et minces et elles semblent bien aller ensemble.

Sophie est tellement absorbée par sa découverte, qu'elle bute contre une racine. Antoine veut la rattraper mais elle a déjà retrouvé son équilibre.

— Tu ferais mieux de t'appuyer sur moi, dit-il. Je ne veux pas que tu tombes.

Après une hésitation, Sophie s'accroche à la manche du chandail d'Antoine.

— Appuie-toi sur *moi*, Sophie, dit-il en prenant sa main. Pas sur mon chandail.

CHAPITRE 11

À huit heures et demie, lorsque Nathalie téléphone à Sophie, celle-ci se rappelle ce qu'elle avait oublié. Et Nathalie ne la laissera pas oublier une autre fois.

— Je pensais que tu devais venir me voir…

— Oh, Nathalie, je suis désolée, s'excuse Sophie. J'ai… oublié. Aussi bien dire la vérité, aussi horrible soit-elle. Denise et moi —

Nathalie raccroche.

Sophie n'en croit pas ses oreilles. Elle regarde le récepteur, le secoue, le remet à son oreille. Rien. Elle raccroche. Nathalie a le droit d'être fâchée, mais pourquoi est-elle si ridicule? Auparavant, elles ont toujours été capables de régler leurs problèmes. Elle doit la rappeler. Peut-être que si elle lui parle d'Antoine… Elle ne voulait pas le faire au téléphone mais il ne semble pas y avoir d'autre solution. Si Nathalie savait ce par quoi passe son amie!

Le téléphone se met à sonner. Ah! Nathalie a repris ses esprits.

Sophie décroche.

— Allô, j'allais justement te téléphoner.

— J'aurais épargné vingt-cinq sous, dit Simon.

— Oh, Simon, allô. Je pensais que c'était Nathalie. Je lui avais promis d'aller la voir et, euh, j'ai oublié.

— Eh bien, tu m'as l'air très occupée, fait Simon d'un ton un peu sec.

— Antoine Ricard vient d'avoir son permis de conduire, dit-elle. Il m'a offert de me ramener avec Denise. J'avais des tas de devoirs et... sa voix s'évanouit. Simon ne la croit sûrement pas.

— Oh, fait Simon sans rien ajouter.

— Tu voulais me parler de quelque chose? lui demande Sophie enfin.

— De la fête, dit-il. Je crois que Johanne a raison. On va faire des hot-dogs. Je pourrais emprunter des plats et des réchauds à mon père pour faire le chili mais il faudrait tout laver après.

— Et tout le monde n'aime pas le chili, ajoute Sophie.

— Tout le monde n'aime pas les hot-dogs non plus.

On sonne à la porte de la cuisine.

— Je peux te rappeler, Simon? Il y a quelqu'un à la porte. Sans laisser à Simon le temps de répondre, elle raccroche.

Elle regarde par la fenêtre de la porte. Personne. Elle ouvre et jette un coup d'oeil dehors.

— Qui est là? fait-elle dans le noir.

Une voix répond :

— Personne. Qui êtes-vous?

— Jérémie, fait Sophie en soupirant.

La tête de Jérémie apparaît derrière un buisson. La lumière de la cuisine illumine ses cheveux roux.

— Tu t'appelles Jérémie? Moi aussi.

Sophie pousse un soupir. Il est tard et il faut qu'elle téléphone à Nathalie et qu'elle termine ses devoirs.

— Qu'est-ce que tu veux, Jérémie?

— Entre ce qu'on veut et ce qu'on obtient...

— S'il te plaît, dépêche-toi. Je n'ai pas toute la nuit.

— Si peu de temps, fait-il en citant les mots du T-shirt de Sophie.

— Jérémie!

— Tu es belle quand tu te fâches.

Sophie tourne les talons et s'apprête à rentrer.

— Veux-tu m'accompagner à la fête? s'écrie Jérémie.

La main sur la poignée, prête à claquer la porte derrière elle, Sophie s'arrête.

— Quoi?

— Je veux dire, si tu y vas… La voix de Jérémie se casse.

Elle se tourne vers lui.

— Tu… euh… ne veux probablement pas… venir avec moi, je veux dire. Je comprends mais je pensais que, euh… si nous y allions tous les deux… Il hausse les épaules.

— Bien, Jérémie, je ne sais pas.

Sophie n'a jamais songé à aller à la fête avec quelqu'un. Et c'est Jérémie qui le lui offre!

Jérémie recule.

— Bon, écoute Sophie, oublie ça, d'accord?

Il disparaît dans l'ombre.

— Jérémie! Attends!

Le téléphone sonne. Nathalie!

— Je te parlerai demain! lui crie-t-elle.

Décrochant le téléphone au quatrième coup, elle dit:

— Enfin! Je croyais que tu n'appellerais jamais!

— Si j'avais su, je t'aurais appelée bien plus tôt, fait la voix d'Alexandre.

— Qui est-ce? demande Sophie qui croit avoir mal entendu.

— Tu sais bien qui c'est, Sophie, dit Alexandre. Ne fais pas semblant. J'aime les filles qui ne cachent pas leurs sentiments.

— Qu'est-ce que tu veux, Alexandre? dit-elle entre ses dents.

— J'ai pensé te faire plaisir en t'invitant à la fête.

— Je n'ai pas besoin qu'on me fasse plaisir! s'écrie Sophie en raccrochant brutalement.

Quand elle a retrouvé son calme, elle compose le numéro de Nathalie.

La ligne est occupée.

— Sophie est une fille très spéciale, dit Denise, assise à la table, face à son frère qui est étendu sur le divan.

— Je ne me disputerai pas avec toi à ce sujet-là, fait Antoine.

— C'est bien ce qui me fait peur, continue Denise.

Antoine la regarde, l'air confus.

— Elle t'aime bien, Antoine.

Antoine sourit.

— Et je l'aime bien aussi, dit-il.

Denise grogne et lève les yeux au plafond. La situation est plus délicate qu'elle ne l'avait imaginée.

— Quel est le problème? lui demande son frère.

— Elle t'aime *beaucoup*.

Il ne semble toujours pas comprendre.

— C'est tragique? Les amis s'aiment toujours beaucoup.

Denise se lève.

— Écoute, Antoine. Sophie est amoureuse de toi!

Antoine cligne des yeux. Il s'assoit.

— Voyons! Denise!

— Je t'assure.

— Elle a seulement quatorze ans !

— Treize, fait Denise. Tu oublies que j'ai un an de plus que tout le monde de ma classe.

— Raison de plus, dit Antoine.

— Raison de plus pour quoi ?

— Denise, Sophie est très gentille. Je l'aime bien. Mais pas comme petite amie. Et c'est pareil pour elle.

— Tu es sûr ?

Le téléphone sonne et Denise le regarde, hésitante. Elle décroche.

Antoine quitte la pièce. Denise devra reprendre la conversation plus tard.

— Quelque chose ne va pas ? demande Nathalie à Denise.

— Allô, Nathalie. Non, tout va bien.

Pourtant Denise semble embêtée par le coup de téléphone de Nathalie.

— Tu reviens à l'école demain ? poursuit Denise. Tout le monde s'ennuie de toi.

Sûrement, se dit Nathalie.

— Je me sens en pleine forme. As-tu vu Sophie, aujourd'hui ?

— Pourquoi ? lui demande Denise, inquiète. Nathalie est la meilleure amie de Sophie. Peut-elle tout lui dire ?

— Oh, pour rien. Je me demandais.

— Tu ne lui as pas parlé ?

— Bien sûr. Il n'y a pas longtemps. Mais elle avait une voix bizarre. Et comme vous avez passé pas mal de temps ensemble…

— Non, l'interrompt Denise.

Nathalie est mêlée.

— Vous n'avez rien fait ensemble après l'école?

— C'est ce qu'elle t'a dit?

Nathalie n'a pas laissé à Sophie l'occasion de s'étendre sur le sujet.

— Elle devait venir me voir et ne l'a pas fait. Quand je lui en ai parlé, elle a dit ton nom.

Nathalie ne sait rien à propos d'Antoine! C'est encore pire que ce qu'imaginait Denise.

— Nathalie, dit-elle, nous avons un problème.

— Un problème?

— Sophie est amoureuse d'Antoine! Je ne comprends pas qu'elle ne t'en ait pas parlé!

Nathalie est abasourdie.

— Antoine? Comment réagit Antoine?

— Il dit que c'est une gentille petite fille, répond Denise en appuyant sur *petite*. Et il ne croit pas que Sophie puisse le voir autrement que comme un ami. Je pense qu'elle va tomber de haut.

— Il faut faire quelque chose! dit Nathalie. La distraire. Mais comment?

— Tu la connais mieux que moi, dit Denise. Tu devrais pouvoir trouver une solution.

Nathalie réfléchit. Qu'est-ce qui pourrait distraire Sophie d'Antoine? Une seule chose: «Un projet! dit-elle. Sophie ne rate jamais l'occasion d'aider quelqu'un dans le besoin.»

— Oui, mais quoi? Elle a déjà ses animaux menacés.

— Il faut que ce soit important, dit Nathalie. Une personne peut-être. Quelqu'un qu'elle connaît. Quelqu'un qui aurait vraiment besoin d'aide.

Pensives, elles restent silencieuses.

Enfin, un peu à la blague, Nathalie dit :
— Quelqu'un comme… Jérémie.

CHAPITRE 12

— Jérémie est celui qu'il nous faut ! s'exclame Nathalie le lendemain matin.

— Je suis d'accord, dit Denise.

— J'ai pensé à lui hier soir, ajoute Nathalie, personne ne ferait mieux l'affaire.

— C'est génial ! fait Denise en parlant de l'idée de Nathalie.

Quelqu'un entre dans la salle, interrompant leur discussion.

— Pas un mot, chuchote Nathalie, ça ne marchera jamais si quelqu'un d'autre est au courant.

Elle met sa main sur sa bouche pour s'empêcher de rire.

La porte s'ouvre brusquement. Sophie entre en coup de vent. Ça y est, se dit-elle, Nathalie est encore malade.

— Je vais chercher de l'aide ! s'écrie-t-elle.

— Pour quoi faire ? lui demande Nathalie en cessant de rire.

Sophie fait un pas vers elle.

— Tu n'es pas malade ?

— Je vais très bien.

— Quel soulagement ! Quand je vous ai vues toutes les deux entrer ici à toute vitesse, j'ai cru qu'il se passait quelque chose. Nathalie, je suis vraiment désolée pour hier.

Nathalie arrange ses cheveux.

— Ce n'est pas grave. Je n'y pensais même plus.

Sophie n'en est pas si sûre. C'est trop simple. Elle ouvre la bouche pour parler mais la cloche se met à sonner.

Dani descend le couloir en secouant la tête. Il est arrivé plus tôt ce matin pour refaire un examen d'histoire. Le professeur l'a installé dans une salle pleine de fossiles et de spécimens de roches. La salle donne sur le vestiaire des filles.

Il fait signe à Alexandre et à Mathieu qui se dirigent vers lui.

— Que se passe-t-il? lui demande Mathieu.

— Jérémie est parfait, dit Dani les yeux ronds. Je les ai entendues dire ça. J'étais dans la salle des fossiles et —

Alexandre et Mathieu hochent la tête.

— Qui ça?

À ce moment-là, Denise, Nathalie et Sophie sortent du vestiaire des filles.

— Ces trois-là? fait Alexandre, bouche bée.

— Sûrement, fait Dani incrédule, en secouant la tête. « Personne ne ferait mieux l'affaire. »

— Elles ont dit ça? Plus il en sait, plus Alexandre a du mal à l'accepter. Il a invité Sophie à l'accompagner à la fête pour lui permettre de revenir sur terre. Mais il commence à croire que plus rien ne peut la sauver.

— « Il est génial », dit Dani.

— Jérémie? fait Mathieu.

— Qu'est-ce qu'elles ont dit encore? demande Alexandre.

Dani hausse les épaules.

— Le prof est venu chercher mon examen.

À l'heure du repas, Dorothée s'écrie :

— Hé, Sophie! Tu t'es maquillée! Je ne m'en étais pas aperçue!

— Alors qu'est-ce qui te fait croire que je suis maquillée? lui demande Sophie en riant : aujourd'hui, elle a passé tellement de temps à se faire un chignon qu'elle ne s'est pas maquillée.

— Tu es différente, dit Dorothée. Ça fait des jours que je me demande ce que tu as, maintenant je sais.

— Tu ne sais rien du tout, réplique Suzanne. Ce sont ses cheveux.

Dorothée examine Sophie.

— Ce sont tes cheveux! dit-elle enfin.

— Je voudrais bien coiffer les miens comme ça, dit Lucie, mais c'est trop compliqué.

— Ils sont trop courts, fait Nathalie en tapotant le dessus des cheveux frisés de Lucie.

— J'aime tes cheveux tels qu'ils sont, c'est toujours mieux naturel.

— Je ne sais pas, dit Sophie. Il me semble que j'ai l'air plus vieille comme ça.

Sous la table, Denise donne un coup de pied à Nathalie.

Mia se joint à elles et se laisse tomber sur une chaise. Elle leur montre le bracelet qu'elle a confectionné avec des épingles de sûreté et des perles noires et blanches.

— Qu'en pensez-vous? leur demande-t-elle.

Sophie est soulagée. L'attention générale s'est portée sur quelqu'un d'autre.

— J'en ai vu un comme ça au centre commercial qui se vendait trente dollars, poursuit Mia.

— Celui-ci t'a coûté combien? lui demande Lucie.

— J'avais les épingles. Les perles m'ont coûté environ cinq dollars.

— Tu devrais te lancer en affaires, lui dit Nathalie.

— J'y ai pensé. Je pourrais en faire deux par semaine, trois en ne faisant pas certains de mes devoirs… et les vendre six ou sept dollars…

— C'est trop! fait Dorothée en fixant le lointain.

— Je suis sûre que je pourrais les vendre facilement dix dollars, rétorque Mia.

— C'est trop! répète Dorothée.

Mia se lève.

— Qu'est-ce que tu en sais? dit-elle en s'en allant.

Dorothée quitte des yeux Simon et Bertrand, les deux plus beaux garçons de la classe qui font la queue au comptoir.

— Deux, c'est trop! répète-t-elle. Où est partie Mia? Je voulais lui passer une commande.

Une mouche volette au-dessus des crèmes au caramel. Jérémie se penche par-dessus le convoyeur et l'attrape. Facile. Les mouches qui survivent si tard dans la saison sont toujours plus lentes. Qu'est-ce qu'il pourrait bien en faire? Il fait des yeux le tour de la salle.

La mouche bourdonne dans sa main tandis qu'il s'approche de la table des filles.

— Des problèmes en perspective, dit tout bas Valérie.

Sophie se retourne. Elle est bien contente de voir le regard espiègle de Jérémie. Il est très différent du Jérémie timide qu'elle a vu hier soir. Elle sourit.

À la table voisine, Mathieu reste bouche bée.

— Tu dois avoir raison, dit-il à Alexandre. Elle lui sourit!

Le regard de Jérémie se pose sur la crème aux prunes de Nathalie. Parfait! C'est la couleur idéale. Il lève les yeux au plafond. «Vous avez vu le trou?» Tandis que les filles lèvent les yeux pour voir, il jette la mouche sur le dessert de Nathalie et s'enfuit.

— Qu'est-ce que ça veut dire? demande Nathalie en prenant une cuillerée de crème.

Quelque chose s'envole de la cuillère.

— Ça bouge! s'écrie Lucie.

Nathalie lâche la cuillère.

— Où ça? Quoi donc? Je ne vois même pas de trou! fait Dorothée, les yeux toujours fixés au plafond.

— Tu n'as qu'à regarder la tête de Jérémie, lui dit Suzanne.

À la porte de côté, Sophie attend Nathalie. Celle-ci est allée rencontrer les professeurs pour rattraper son retard. Sophie scrute le terrain de stationnement dans l'espoir d'y voir Antoine.

Quand elle aperçoit Guylaine de dos avec un garçon, son coeur se met à battre. Mais elle se rend compte bien vite que ce n'est pas Antoine. Ils passent près d'elle et s'arrêtent devant une décapotable. Sophie en profite pour examiner Guylaine.

Elle parle avec les mains, ses ongles extraordinairement longs fendent l'air. Elle bat beaucoup des cils aussi. À cause sans doute de l'épaisse couche de maquillage qu'elle se met sur les paupières, se dit Sophie.

Guylaine sourit au garçon tandis qu'il lui ouvre la portière. «Les hommes aiment ouvrir les portières aux femmes», lui a dit Antoine. Guylaine devait savoir cela en naissant.

Elle bat des cils à la manière de Guylaine. La décapotable semble s'arrêter et repartir sans cesse en quittant le stationnement.

— Tu as une poussière dans l'oeil?

Simon s'est approché d'elle.

Sophie ouvre grands les yeux. Elle avait promis de le rappeler hier soir. Pourvu qu'il ne s'en souvienne plus.

— Allô, Simon! dit-elle en essayant de ne plus cligner des yeux.

— Je pensais que tu devais me rappeler hier soir?

— Ah? Elle rougit sous le regard fixe de Simon. Elle déteste le mensonge. Oh, je sais. J'ai dit ça. Je suis désolée. La soirée a été un peu agitée.

— Comment ça? lui demande-t-il.

Sophie rit nerveusement.

— Oh, comme ça. Tu sais bien.

— Non, je ne sais rien du tout.

Pourquoi Simon est-il toujours aussi direct?

— Bien, commence-t-elle en réfléchissant à toute vitesse. Jérémie est venu chez nous et puis il fallait que je finisse mes devoirs et que j'appelle Nathalie.

L'esprit de Simon s'est arrêté sur le mot *Jérémie*. Il a entendu Alexandre dire quelque chose à propos de Sophie et de Jérémie. Antoine Ricard, passe encore, mais *Jérémie*?

Nathalie sort, une pile de livres dans les bras.

— Je n'arriverai jamais à rattraper mon retard! fait-elle.

Sophie s'avance pour l'aider.

— Laisse-moi faire, s'offre Simon.

— On va y arriver, lui dit Nathalie. Merci quand même.

Quand elles sont assez loin de Simon, Nathalie dit à Sophie :

— Simon a l'air bizarre.

— Oui, j'ai remarqué.

— Enfin ! dit Nathalie quand elles déposent les livres dans sa chambre. Une occasion pour parler !

— J'ai tellement de choses à te dire, je ne sais pas par où commencer, fait Sophie.

— Moi, oui ! Par Jérémie !

— Jérémie ? Sophie est déçue et soulagée en même temps. Tu veux parler de Jérémie ?

— Il faut faire quelque chose pour lui, dit Nathalie en plongeant tête baissée dans le plan qu'elle a élaboré avec Denise. Il est de plus en plus crétin.

— Il m'a invitée à la fête, dit Sophie.

La figure de Nathalie s'allonge.

— Quand ?

— Hier soir.

— Et tu ne m'as rien dit de la journée ?

— J'ai essayé de t'appeler hier soir, mais c'était occupé. D'ailleurs, tu étais tellement fâchée…

— Oh, fait Nathalie. Oublie ça. Je pleurais sur mon sort. Qu'est-ce que tu as répondu à Jérémie ?

— Rien. C'était tellement bizarre. Il m'a invitée et avant que je puisse lui dire quoi que ce soit, il s'est sauvé. Il a tellement peu confiance en lui.

— Il n'est pas le seul !

117

— Oh, je ne pense pas qu'il soit si épouvantable que ça ! fait Sophie en prenant la défense de Jérémie. On ne fait rien pour l'aider, tu sais.

« Chère Sophie, se dit Nathalie, je savais que je pourrais compter sur toi. »

— Allons, Sophie. Jérémie est un cas désespéré.

— Tout ce qu'il lui faut, c'est quelqu'un qui fera ressortir ses qualités.

— Il faut d'abord les trouver ! se moque Nathalie.

— Ça ne devrait pas être plus difficile que —

— Sauver les baleines ? suggère Nathalie.

— On dirait que tu veux en faire un projet, fait Sophie en riant.

— Pourquoi pas ? Il a besoin d'aide. Tu peux l'aider, toi. Je vois déjà ton nouvel écusson : « Sauvons Jérémie, le dernier de son espèce. »

— Nathalie ! Je ne peux pas faire ça ! Jérémie est une personne !

— Ça veut dire qu'il est moins important qu'une baleine ?

— Bien sûr que non mais…

— Penses-y, Sophie. Voilà une chance unique d'aider quelqu'un et d'en apprécier par la suite les résultats.

— Qu'est-ce qu'il faudrait faire ?

— Qu'est-ce que tu fais pour les autres projets ?

— D'abord, je me renseigne sur le problème, ensuite je décide de la meilleure solution.

— Tu sais déjà bien des choses à propos de Jérémie. La moitié du chemin est faite.

Une partie de Sophie n'a pas le goût de se lancer dans

cette aventure, mais l'autre est déjà en train d'élaborer un plan pour découvrir le véritable Jérémie.

— Je peux peut-être essayer, finit-elle par dire.

Cher journal. J'ai enfin pu parler à Nathalie, mais il est arrivé une chose bizarre. Je ne lui ai rien dit à propos d'Antoine. Je ne sais pas vraiment pourquoi. Je voulais tout lui raconter mais, en même temps, quelque chose m'en empêchait. En plus, on a parlé de Jérémie.

Le téléphone sonne, Sophie dépose son journal. Il est huit heures et demie. Nathalie est à l'heure. Elle n'est donc plus fâchée. Sophie décroche le récepteur.

— Tu as un plan? lui demande Nathalie.

— Pas encore, répond Sophie. Si je n'y pense pas, il me viendra peut-être une idée.

— Rien de neuf à part ça?

— Rien depuis tout à l'heure, mais il y a bien des choses que j'ai oublié de te dire.

— Ah oui? Je t'écoute, lui dit Nathalie.

Sophie a le foulard de Nathalie sur les épaules et elle ne cesse de jouer avec.

— J'ai récupéré ton foulard, mais j'ai oublié de te le rendre hier.

— Amène-le-moi demain, dit Nathalie. As-tu oublié autre chose?

— Alexandre.

— Ça c'est facile à oublier! fait Nathalie en riant.

— Attends! Tu ne sais pas tout! Il m'a invitée à la fête!

Après une pause, Nathalie se met à rire sans pouvoir se contrôler.

— Nathalie! dit Sophie en riant aussi. Arrête!

Nathalie rit encore plus fort.

— Pourquoi ris-tu d'Alexandre? C'est le garçon le plus populaire de la classe.

— C'est ce qu'il croit! répond Nathalie. Je ne te demande même pas ce que tu lui as répondu. Le plus étonnant c'est que tu sois encore là! Pas *un* mais *deux* garçons t'invitent et toi tu…

— Encore là?

— Quand je t'ai dit que je sortais avec Bertrand, tu m'as dit que tu mourrais si quelqu'un t'invitait.

— Je ne pensais pas que ce serait Jérémie ou Alexandre! s'exclame Sophie.

Nathalie se remet à rire.

Sophie ajoute dans son journal: *Qu'est-ce que je ferais si Antoine m'invitait quelque part?*

CHAPITRE 13

Lorsque Sophie arrive à l'école, le lendemain, la plupart des filles du groupe entourent Mia et lui passent des commandes pour ses bracelets. Elle en profite pour parler à Nathalie et à Denise en privé.

— Je ne pense pas pouvoir le faire, dit-elle.

Toute la nuit elle a essayé de trouver une solution pour aider Jérémie, mais aucune idée ne lui est venue.

— Si toi, tu ne peux pas, lui dit Nathalie, alors personne ne le peut.

— Nous allons t'aider, lui dit Denise.

— Mais qu'est-ce que je dois faire ? Je ne peux tout de même pas aller le voir en lui disant : « Écoute, Jérémie, tu es crétin et je... »

— Pourquoi pas ? fait Nathalie en se moquant. Tout le monde le fait.

— Sois sérieuse, Nathalie.

— Parle-lui, c'est ce que tu as de mieux à faire, dit Denise. Il t'écoutera.

— Oui, mais...

— Le voilà ! s'écrie Nathalie tandis que Jérémie tourne le coin sur sa planche à roulettes. Je vais le chercher !

— Non ! Nathalie ! crie Sophie.

Trop tard. Nathalie a déjà descendu l'escalier.

— Je ne peux pas lui parler ici, gémit Sophie.

Denise est d'accord.

— D'ailleurs tu n'as plus le temps. Donne-lui rendez-vous après l'école?

Au pied des escaliers, Nathalie pointe du doigt Sophie. Jérémie a un pied sur sa planche à roulettes et les bras croisés sur sa poitrine. Il regarde Sophie.

Sophie est démontée. Tout ceci est ridicule. Elle fait tout de même un signe de la main en direction de Jérémie.

— Tu veux me voir? crie celui-ci.

Toute la classe va l'entendre. Elle descend les marches. Jérémie monte à sa rencontre.

— Si tu as quelques minutes après les cours, on pourrait parler, lui dit Sophie à voix basse.

Jérémie la regarde avec suspicion.

— À quel sujet? fait-il.

«Au sujet de tes manières», pense Sophie.

— À propos de... Elle réfléchit à ce qu'elle pourrait bien dire. ... de la fête!

— Alors? fait Jérémie.

La cloche sonne.

— Pas maintenant, Jérémie. Après l'école, d'accord?

Sophie tourne les talons et monte l'escalier en courant.

Jérémie la poursuit. À la porte, il rencontre Mathieu et Alexandre.

— Qu'est-ce qui s'est passé, Jérémie? lui demande Alexandre.

Jérémie hausse les épaules.

— Elle veut me parler.

— De quoi?

— De la fête.

Alexandre hoche la tête.

— Qu'est-ce qu'elle peut bien avoir à te dire à ce sujet-là ?

En haussant les épaules, Jérémie ouvre son casier.

— Vous n'êtes pas dans le même comité, pourtant, continue Alexandre.

Jérémie accroche sa planche dans son casier et prend ses livres.

— Je l'ai invitée, dit-il avant de sortir du vestiaire en courant.

— *Toi* ? Tu l'as invitée *elle* ? répète Alexandre.

Il sort de la salle en grommelant.

Dani l'appelle, mais Alexandre est trop hébété pour l'entendre.

— Alexandre est malade ? demande-t-il à Mathieu.

— Jérémie a invité Sophie.

— Invité à quoi ?

Mathieu ferme brutalement la porte de son casier.

— Je ne sais pas.

À midi, Simon va voir les filles à leur table.

— Il y a une réunion après l'école, dit-il à Nathalie et à Sophie.

Sophie regarde Nathalie. Que fera-t-elle de Jérémie ?

— Sophie ne peut pas y aller, dit Nathalie à Simon.

— Pourquoi ?

— Elle a quelque chose de très important à faire, dit Denise.

Simon n'a pas quitté Sophie des yeux.

— Plus important que le comité pour la fête ?

— Bien… commence Sophie. Je pourrais peut-être…

— Ne t'en fais pas, Simon, je serai là moi, le rassure

Nathalie. Je prendrai des notes et je les donnerai à Sophie.

— J'imagine que si tu ne peux pas y être, tu ne peux pas y être, lance Simon.

Dorothée est abasourdie. Pour rien au monde elle ne raterait une réunion avec Simon et Bertrand, elle.

— Que fais-tu après l'école? demande-t-elle à Sophie quand Simon s'éloigne.

— Rien d'important.

Dehors, Jérémie attend Sophie. Elle sort enfin. Il a attendu longtemps. Elle a pris tout son temps.

— On va où pour parler? lui demande-t-il.

Sophie regarde les alentours. Elle n'y a pas pensé, mais ici, il y a trop de curieux.

— On pourrait juste marcher?

— Vers chez toi?

— D'accord.

Sophie se met en marche, suivie de Jérémie sur sa planche à roulettes.

De l'autre côté du terrain de stationnement, Antoine, appuyé contre sa voiture, les regarde. Il a longuement réfléchi à ce que lui a dit Denise. Sophie, en l'écoutant sans lui donner de conseils inutiles, l'a aidé à passer un moment pénible. Elle est brillante, intéressante, et il l'aime bien. Il aimerait bien rester son ami, mais il ne veut pas s'immiscer dans ses relations avec ses camarades de classe. La voir ainsi, avec un garçon de son âge le soulage un peu. Denise se trompe sûrement. Sophie comprend très bien la situation. Il lui téléphonera un peu plus tard pour mettre les choses bien au point.

À un pâté de maisons de l'école, Jérémie dépasse Sophie. Il attend qu'elle le rattrape et le précède, puis la dépasse de nouveau.

En passant devant la pharmacie, il s'arrête pour acheter de la gomme.

Sophie le suit. Dans une des allées, des paquets de faux ongles accrochent son regard. La veille, elle a mis du vernis, mais elle l'a ôté par la suite. Ses ongles sont trop courts.

Elle jette un coup d'oeil vers Jérémie qui est toujours penché sur l'étalage de bonbons. Elle prend une boîte de faux ongles et la paie.

Au dehors, Jérémie remonte sur sa planche et roule à côté de Sophie.

— Est-ce qu'on parle?

— Comment veux-tu qu'on parle? Tu es toujours un kilomètre devant ou un kilomètre derrière… et ta planche fait du bruit!

Jérémie réfléchit, saute de sa planche et la met sous son bras. Ils marchent en silence.

— Quand je marche, j'ai l'impression de traîner un poids, dit Jérémie au bout d'un moment.

Sophie se met à rire.

— Tu as un bon sens de l'humour. Elle se tait. Puis elle reprend : « D'ailleurs, tu as bien des qualités. »

Jérémie fait une bulle.

— Jérémie?

Il regarde sa bulle en louchant.

— M'écoutes-tu, Jérémie?

La bulle éclate. En décollant la gomme de son visage, il dit :

— Pourquoi ? Je connais le discours par coeur.

Sophie sent un pincement au coeur. Elle l'a bien mérité.

— Je ne voulais pas te faire la morale. Je voulais t'aider.

— Qui a dit que j'avais besoin d'aide ?

— Tu aimes te faire traiter de crétin ?

— Ça ne me dérange pas. Du moment que c'est sincère.

— Sois sérieux, Jérémie, lui dit Sophie. Ça fait partie de ton problème, il n'y a jamais moyen de te parler sérieusement.

— C'est plutôt votre problème. Vous ne faites peut-être pas assez d'efforts.

Sophie pousse un soupir.

— J'essaie, Jérémie. Aussi fort que je peux. Tu ne me donnes pas une chance.

Jérémie réfléchit.

— Bon, d'accord. Vas-y.

— Bien, comme je le disais, tu as plein de qualités mais tu les caches derrière tes singeries.

— Je suis bon pour faire des singeries ! proteste Jérémie.

— Pas étonnant avec l'entraînement que tu as ! fait Sophie en riant. Mais tu devrais t'entraîner à autre chose. Essaie, pendant une semaine et tu verras bien.

Jérémie est sur la défensive.

— Comment ?

— En ne mettant pas d'insectes ou tes doigts dans la nourriture des autres, par exemple.

— D'accord, fait-il en se disant qu'il a bien d'autres tours dans son sac et qu'une semaine ce n'est pas si long, après tout.

— Et en ne jouant aucun tour, ajoute Sophie.

Jérémie saute sur sa planche à roulettes.

— Et pas de planche !

Non, là, c'est trop.

— Toute une semaine ?

— Le feras-tu, Jérémie ?

Ses épaules s'affaissent tandis qu'il descend de sa planche.

— Je suppose.

Sophie rayonne.

— Tout sera très différent, Jérémie, tu vas voir.

Jérémie pousse la planche à roulettes devant eux avec son pied.

— Pourquoi les gens qui veulent t'aider te disent toujours quoi ne pas faire et jamais quoi faire ?

Sophie ne connaît pas la réponse.

— Je suppose que ça, c'est quelque chose que tu dois découvrir toi-même.

— Comment s'est passée la réunion ? demande Sophie à Nathalie après le souper. Vous avez réglé des choses ?

— Rien. Bertrand n'était pas là.

— Nathalie, sois sérieuse !

— Bien, Simon et Johanne ont tout décidé. On fait des hot-dogs et des hamburgers.

— Qu'est-ce qu'on a à faire ?

— Rien avant samedi. Simon se charge des ingrédients et Johanne apporte tout ce qui est en papier.

Nous, on va les aider à servir et à préparer les plats. Qu'est-ce qui s'est passé avec Jérémie?

— Il a pensé que je voulais lui faire la morale.

— Il n'a pas tort.

— Je ne voulais pas qu'il s'en rende compte.

— Ça a donné des résultats?

— Je ne sais pas. On a marché longtemps. Il a beaucoup d'humour, tu sais.

— Bien sûr. J'en ai eu un avant-goût à midi.

Sophie frissonne au souvenir de la mouche.

— Il m'a promis de ne plus faire de choses de ce genre et il abandonne la planche à roulettes pendant une semaine.

— Sophie, tu es géniale!

Après avoir raccroché, Sophie regarde la feuille de papier près d'elle. Elle est couverte de *Sophie Ricard* écrits de toutes les façons.

Le téléphone sonne. Elle répond.

— Sophie?

C'est Antoine! Personne d'autre ne dit son nom de cette manière!

— Je pensais à toi, dit-il, alors je t'ai téléphoné.

— Je pensais à toi, moi aussi, dit-elle.

— Je... je n'ai encore jamais eu de fille comme amie, dit-il, et je voulais seulement te dire que tu es une bonne amie.

Le coeur de Sophie bat à tout rompre. Antoine éprouve la même chose qu'elle!

CHAPITRE 14

— Viens avec moi dans le vestiaire, chuchote Sophie à l'oreille de Nathalie.

— Attends que la cloche sonne, lui dit Nathalie. Je veux voir si Jérémie a amené sa planche. Je me demande si je vais le reconnaître.

— S'il te plaît, Nathalie, supplie Sophie en se dirigeant vers la porte.

Nathalie suit son amie à l'intérieur.

— Tu n'es pas malade?

— Je vais très bien.

— Tu as l'air fatiguée.

Sophie est effectivement fatiguée. Cette semaine, tous les matins, à cause de ses séances de maquillage et de coiffure, elle a perdu une heure de sommeil. Et ce matin, elle en a perdu encore plus!

Elle pousse la porte et se rue dans le vestiaire.

— Je ne peux pas fermer mon jean.

Nathalie ricane.

— Tu quoi?

— Nathalie, ce n'est pas drôle!

Nathalie remarque que, depuis le début, Sophie a gardé les mains dans ses poches.

— Oh, Sophie! Tu t'es fait mal aux mains. Que s'est-il passé? Laisse-moi voir.

Avec hésitation, Sophie sort ses mains et les montre à Nathalie.

Celle-ci éclate de rire.

— Où as-tu trouvé ces ongles?

— À la pharmacie, fait Sophie. Ça m'a pris un temps fou pour les coller et les vernir. J'ai enfilé mon pantalon et quand je me suis rendu compte que je ne pouvais pas le fermer, il était trop tard pour me changer.

— Heureusement que les chandails longs sont à la mode.

Sophie croit que ses problèmes sont réglés jusqu'à ce que, au cours d'anglais, elle constate qu'elle ne peut pas tenir son crayon.

Au cours d'éducation physique, Johanne se plaint que Sophie l'a égratignée deux fois en jouant au volley-ball.

Il faut souffrir pour être belle, paraît-il. Mais à midi, Sophie se demande si cela en vaut vraiment la peine.

Mia est la seule à aimer ses ongles.

— Mais avec un vernis aussi ordinaire, ils sont plutôt banals, dit-elle en lui montrant les siens qui sont noirs avec des rayures orange et parsemés de petites étoiles collées.

— Je n'aurai jamais le temps de faire ça! proteste Sophie.

Lucie s'enfonce dans sa chaise.

— Jérémie est étrange, constate-t-elle.

Les autres suivent son regard. Jérémie est assis à une table, il porte son habit de camouflage et il a un livre devant lui.

— Pas de planche à roulettes, pas de farce. Il est malade ou quoi?

— Il essaie de changer son image, explique Nathalie.

— En quoi? demande Mia. Celle de l'homme invisible?

— Ce n'est sûrement pas une idée à lui, fait Suzanne.

— C'est l'idée de Sophie, dit Nathalie. Une sorte de projet.

— Et on devrait toutes l'aider, ajoute Denise. J'ai raison, Sophie?

Sophie n'écoute pas. Elle essaie de trouver un moyen de tenir son sandwich sans l'émietter.

— On parle de Jérémie, dit Nathalie quand Sophie écoute enfin. De la façon dont on pourrait l'aider.

— Il s'agit seulement de lui parler, répond Sophie.

Mia tourne sa chaise et regarde Jérémie.

— Un crétin comme lui a besoin d'autre chose que de parler.

— De vêtements neufs, d'abord, fait Lucie.

— C'est son esprit qu'il faut améliorer, fait Dorothée.

Suzanne se met à rire.

— Tu serais toute désignée pour l'aider, fait-elle.

Valérie se joint à elles.

— Avez-vous vu Jérémie? On dirait qu'il a perdu son meilleur ami.

— C'est le cas, dit Suzanne. Il a perdu sa planche à roulettes.

— Sophie essaie de le « refaire », dit Nathalie.

— Vraiment? Valérie semble très contente. J'aimerais bien t'aider. Fais-lui faire du sport.

— Ce sera toujours un crétin, dit Suzanne.

— Pour commencer, on pourrait arrêter de le traiter de crétin! s'exclame Sophie.

Dorothée écarquille les yeux.

— Comment on va l'appeler alors?

Lorsqu'elles cessent toutes de rire, Valérie leur dit :

— L'entraîneur garde les gars après l'école pour l'entraînement. Vous voulez rester pour les encourager ?

Toutes acceptent sauf Sophie qui doit assister à une réunion du Comité de sauvegarde des baleines.

— Je ne pense pas que ces ongles soient très bons pour toi, Sophie, lui dit Nathalie après les cours.

— Tu as peut-être raison, fait Sophie. Si je ne m'habitue pas très vite, je vais tout écorcher autour de moi.

— Je veux dire esthétiquement, explique Nathalie. Des champignons pourraient s'installer en dessous.

— Ne t'en fais pas. Quand ça se produira, je serai déjà morte écorchée.

Elles ne remarquent pas Antoine qui s'avance au volant de sa voiture.

Il se penche à la fenêtre.

— Sophie ? dit-il

Sophie se retourne.

— Antoine !

— As-tu vu Denise ?

— Elle reste encore un peu à l'école.

Antoine semble déçu.

— Mais pas moi, dit Sophie. Tu peux me reconduire ?

— Tu as une réunion, lui dit Nathalie tout bas.

Antoine sort de l'auto et court ouvrir la portière.

— Je vais vers le centre commercial. Je te dépose quelque part ?

Sophie lui sourit.

— Bien sûr.

Du coin de l'oeil, elle voit Nathalie, seule debout sur les marches, qui la regarde. Elle regarde ses mains. Avec ces ongles, elle ne pourra jamais écrire de lettres. Et c'est justement ce qu'ils sont censés faire à la réunion du comité.

— Antoine m'a déposée, explique Sophie un peu plus tard quand Nathalie vient lui ouvrir la porte. Il fallait que je te parle.

Elle suit Nathalie dans sa chambre, les mots sortent plus vite qu'elle ne peut les prononcer.

— Ça fait des jours que je veux t'en parler, conclut-elle, mais tu ne m'as rien dit au sujet du petit mot que je t'ai écrit en classe. Ensuite, tu as été malade et j'ai oublié et…

— Quel mot? lui demande Nathalie en fermant la porte.

— *Devine qui était à la bibliothèque hier soir ?* cite Sophie.

— Je n'ai jamais lu ce mot!

— Ce n'est pas grave. Il s'est tellement passé de choses depuis! Il est tellement merveilleux! J'ai même rêvé à lui! Et nos ombres vont bien ensemble! Nous avons marché et… Sophie fouille dans son sac. Attends un peu de voir ce qu'il m'a acheté. On est allés au centre commercial, il voulait des cassettes. Elle sort son T-shirt TELLEMENT DE CHOSES À FAIRE… et continue : Je voulais porter ça aujourd'hui mais en voyant que je ne pouvais pas fermer mon jean j'ai pris mon chandail parce qu'il est plus long. J'ai mis le T-shirt ici pour le porter à la réunion du Comité de sauvegarde.

— Tu n'es pas allée à la réunion? fait Nathalie.

— Je ne suis pas obligée d'y aller, c'est bénévole. Le voici! s'écrie-t-elle en sortant de son sac un petit paquet. Elle le développe et en sort une petite baleine en peluche. Elle est belle, non? Sans attendre la réaction de Nathalie, elle poursuit : On a passé un moment extraordinaire! Et je retourne avec lui chercher le cadeau de Denise. On n'avait pas le temps aujourd'hui. Tu savais que sa fête est la semaine prochaine? Dire qu'elle ne nous l'a même pas dit!

— Vous avez parlé de quoi? lui demande Nathalie quand Sophie reprend son souffle.

La première chose qui vient à l'esprit de Sophie c'est *Guylaine*, mais elle ne le dit pas. D'ailleurs leurs conversations ne tournent plus seulement autour de Guylaine. Ils parlent d'autres choses aussi.

— De rien! De tout! On fait des blagues!

— Je te trouve bien emballée, fait Nathalie.

— Pourquoi dis-tu ça? demande Sophie.

— C'est vrai, tu as l'air tellement «accrochée» à Antoine...

— Ce n'est pas vrai, riposte Sophie. Je l'aime bien c'est tout. On est amis.

— Simon est un ami aussi. Tu n'es pas toujours avec lui.

— J'aime bien Antoine. Qu'est-ce qu'il y a de mal à ça?

— Tu vas avoir de la peine.

— Mais non. Antoine n'est pas comme ça.

— Il ne le fera pas exprès, mais tu es trop accrochée.

— Et si on parlait de Bertrand et de toi? l'interrompt Sophie.

— C'est très différent. On a le même âge. Et je

l'aime bien, oui, mais je ne suis pas devenue folle pour cela.

Les paroles de Nathalie atteignent Sophie comme des coups de fouet.

— Je dois rentrer, fait-elle. Je te parlerai plus tard.

Avant même que Nathalie remarque qu'elle a oublié son T-shirt, Sophie est déjà partie.

Nathalie ne comprend rien et elle va tout gâcher, se dit Sophie sur le chemin du retour. Elle décide de ne plus lui parler d'Antoine.

En composant le numéro de Sophie, Nathalie est bien décidée à ne pas mentionner Antoine. Comme d'habitude, elles discutent de ce qu'elles vont porter le lendemain.

— On est allés à la crémerie après l'entraînement des garçons. Tout le monde est très excité par le « projet Jérémie ». Tout le monde veut collaborer. Et j'ai eu une longue conversation avec Simon.

— À propos de quoi ?

— De toi surtout. Il dit que tu ne lui parles plus ; que tu es trop occupée. Constatant que c'est une allusion indirecte à Antoine, Nathalie fait une pause. Mais tu connais Simon, ajoute-t-elle pour minimiser la portée de sa remarque.

— Oui, fait Sophie. Si on ne lui révèle pas nos moindres petits secrets…

Cher journal. Aujourd'hui il y a eu du bon et du mauvais. Je suis allée avec Antoine au centre commercial (bon). J'ai raté la réunion du Comité (mauvais). Antoine m'a demandé de l'aider à choisir le cadeau de

Denise (bon). Nathalie est fâchée contre moi (mauvais).

Est-ce que je vais m'habituer à mes nouveaux ongles ?

P.S. J'ai une confession à faire : je n'ai pas dit à Nathalie quand Antoine veut que j'aille avec lui chercher le cadeau. Il veut que ce soit SAMEDI. Le jour de la fête d'automne ! Qu'est-ce que je dois faire ?

CHAPITRE 15

Un sac de sport au bras, Lucie monte l'escalier principal.

— Avez-vous vu Jérémie? demande-t-elle à Sophie et à Nathalie.

Même si elle l'avait vu, Sophie n'aurait pas remarqué Jérémie. Elle est trop absorbée par la tension croissante entre elle et son amie. Pourtant, Nathalie essaie de faire comme si de rien n'était.

Nathalie secoue la tête.

— Non, pourquoi?

Valérie grimpe à son tour les marches, les bras chargés d'un gros sac de toile.

— Où est Jérémie?

— Je ne l'ai pas vu, répond Denise.

Dorothée passe près d'elles, une expression déterminée sur son joli visage.

— Hé, soldat! fait Suzanne à son adresse.

Dorothée poursuit son chemin.

— Je cherche Jérémie, dit-elle.

— Moi aussi, fait Johanne en la suivant.

— Johanne? fait Nathalie. Mais qu'est-ce qui se passe ici?

— Il doit être avec Mia, dit Lucie, et elles dévalent l'escalier.

Nathalie regarde Sophie.

— Qu'est-ce que Jérémie peut bien faire avec Mia?

Alexandre s'approche d'elles d'un pas nonchalant.

— Pourquoi tout le monde cherche Jérémie? leur demande-t-il.

Nathalie, Sophie et Denise haussent les épaules.

À ce moment-là, Mia tourne le coin. Elle marche à reculons et parle à un interlocuteur encore invisible. Elle semble vouloir l'encourager et l'inciter à la suivre. Lucie la rejoint en courant.

Un pied apparaît. Puis une jambe. Enfin, Jérémie tout entier.

Sophie n'en croit pas ses yeux.

Suzanne se met à pouffer de rire.

Mathieu lâche le ballon avec lequel il jouait.

Alexandre range son peigne.

Nathalie reste bouche bée.

— Incroyable!

Les cheveux de Jérémie font comme une explosion de pointes rouges qui se dressent fièrement. Il a une boucle dorée à l'oreille ; ses yeux verts sont soulignés d'un trait noir. Il porte des gants noirs sans doigts.

Mia lui prend la main et le tire avec impatience.

— Qu'en pensez-vous? demande-t-elle aux autres.

Personne ne dit mot.

Prenant leur silence pour une marque d'approbation, elle dit :

— Ce n'est pas parfait, mais ce n'est pas fini. J'ai pensé teindre les cheveux en … noir. Ça irait très bien avec sa peau claire. Et on pourrait rajouter quelques boucles d'oreilles.

Sophie est soulagée. Au moins, Mia ne lui a pas percé l'oreille.

Lucie ouvre son sac.

— Mets ça, Jérémie, dit-elle en sortant une veste de

tweed et une cravate rayée. C'est tout ce que j'ai pu trouver, mais c'est un début. J'en amènerai d'autres demain.

— De punk à sérieux en une seule leçon! fait Suzanne.

Les autres filles se groupent autour de Jérémie, chacune y allant de ses suggestions.

Sophie jette à Denise un regard interrogateur. Ni l'une ni l'autre ne s'attendait à cela.

Dorothée donne à Jérémie un livre sur les bonnes manières. Valérie lui tend des petits haltères. Johanne sort de sa poche une liste de livres à lire.

Sophie est horrifiée. Elles traitent vraiment Jérémie comme s'il était un objet! Et tout est sa faute!

Passé la confusion du début, Jérémie se comporte comme s'il était le roi du bal, essayant d'accorder à chacune une danse.

Toute la matinée, entre le «Projet Jérémie» et la fête de samedi, le secondaire II est fort occupé. Et à midi personne ne mange.

Ils regardent plutôt Jérémie se promener de table en table souriant, parlant à chacun comme un politicien en campagne électorale.

Alexandre secoue la tête.

— Ça doit être un virus, dit-il. Il n'y a pas que Sophie. Elles sont toutes devenues folles.

— Jérémie a sûrement quelque chose, fait Mathieu.

— Mais quoi? demande Alexandre. Il est plus crétin que jamais. Sauf pour le veston et la cravate — qui met une cravate avec une chemise de camouflage? — il ressemble à Dani.

— Oui, rétorque Dani, et il se comporte tout à fait comme toi, Alexandre.

Dorothée arrive tout excitée à la table des filles.

— Devinez qui vient de m'inviter à la fête ? demande-t-elle en s'assoyant.

— Aucune idée, répond Suzanne.

— Alexandre ! s'écrie Dorothée. Dans le hall ! Juste avant le repas ! Je lui ai dit que c'était un peu tard — la fête est demain — mais —

— Je ne savais pas qu'on y allait accompagnées, fait Lucie. Sauf Mia bien sûr.

Mia va toujours aux fêtes ou aux danses avec Dani.

— Je vais peut-être surprendre tout le monde demain, dit Mia, les yeux fixés sur Jérémie.

— Tu vas y aller toute seule ? lui demande Valérie.

— Non, répond Mia. Avec Jérémie.

— Tu ne peux pas, fait Dorothée. C'est Sophie qui y va avec lui.

Tout le monde regarde Sophie.

— Qui a dit ça ? demande Sophie.

— Alexandre, répond Dorothée. Au début, je ne l'ai pas cru mais ensuite, il m'a montré le mot que tu as écrit à propos de Jérémie à la bibliothèque et —

Sophie se lève d'un bond et s'avance vers Alexandre, les autres filles sur les talons.

Alexandre fait un repli stratégique derrière la chaise de Mathieu.

— Il m'a dit qu'il t'avait invitée.

— Il t'a dit que j'avais accepté ?

— Pas vraiment, répond Alexandre d'une petite voix. Une idée lui passe alors par la tête. Tu n'y vas pas avec lui ?

— Non, répond Sophie.

— Alors pourquoi avoir refusé mon invitation?

— Tu… tu as invité Sophie? bredouille Dorothée.

— Ne t'énerve pas, Dorothée, dit Alexandre. J'y vais avec toi.

— Je ne t'accompagnerais pas, même si tu étais le dernier garçon sur Terre! fait Dorothée en s'éloignant en furie.

— Tu vois ce que tu as fait, Sophie! dit Alexandre.

— Ce que j'ai fait! Tu es le plus misérable de tous les crétins, Alexandre!

— Hé, Sophie, fait Mathieu, tu pourrais venir avec moi!

— Merci, mais non merci, répond Sophie. Je ne vais pas à la fête avec Jérémie. Ni avec Alexandre. Ni avec toi!

Le trouble de Mathieu est évident.

— Alors, avec qui y vas-tu?

— Personne! répond Sophie. Je n'y vais pas, à la fête! ajoute-t-elle à la surprise de tout le monde, et d'elle-même.

— Tu n'y vas pas? font les autres en chœur. Pourquoi?

Seules Nathalie et Denise sont restées silencieuses. Elles croient bien savoir pourquoi, elles.

La situation est désespérée, écrit Nathalie à Denise dans la salle d'études. *Jamais nous n'arriverons à distraire Sophie de qui-tu-sais. Elle ne pense qu'à cette personne. Elle a même oublié son T-shirt préféré chez moi et ne l'a pas encore réclamé.*

Il doit pourtant y avoir une solution, écrit en retour Denise.

Mais quoi ? demande Nathalie.

Je pourrais lui parler, suggère Denise.

Essaie, mais je ne pense pas que ça fonctionnera, écrit Nathalie.

— Avez-vous fini, vous deux ? siffle Suzanne. Je ne terminerai jamais mes devoirs avec tous ces papiers que vous me faites passer.

Denise ne parvient pas à parler à Sophie avant la fin des cours.

Sophie la voit venir. Elle veut me parler d'Antoine, se dit-elle. Ç'a déjà été assez dur d'entendre le discours de Nathalie. Sophie ne pourra pas rester à écouter Denise (la propre sœur d'Antoine) la mettre en garde. Elle ramasse ses choses en hâte et se dirige vers la sortie.

— Salut, tout le monde, fait-elle, je vais au centre d'accueil.

Une fois dehors, Sophie ralentit l'allure. Elle aimerait bien qu'Antoine apparaisse à ses côtés. Elle a besoin de lui parler.

Elle se sent si seule, si abandonnée. Elle a l'impression qu'elle ne pourra plus jamais parler à Nathalie comme avant... du moins pas tant qu'elle ne cessera pas de voir Antoine. Et cela elle ne veut pas le faire. Pourquoi les choses sont-elles si compliquées ?

Lorsqu'elle revient du centre d'accueil, elle trouve Jérémie assis sur sa planche à roulettes, la tête appuyée dans ses mains, qui l'attend sur le balcon.

— Salut, lui dit-il mollement tandis qu'elle suit l'allée.

Ses cheveux sont tombés.

— Tu as l'air penaud, lui dit Sophie.

Le khôl s'est répandu sous les yeux de Jérémie et lui donne l'air d'un clown triste. Il la regarde.

— Tu n'as pas l'air très enjouée, toi non plus.

— Tout le monde est fâché contre moi, dit-elle en posant le pied sur le balcon en arrière de chez elle.

Jérémie acquiesce.

— Personne n'est fâché contre moi.

— Tout le monde veut me faire la morale.

— Moi, personne ne m'a fait la morale. Et depuis deux jours, je n'ai pas entendu une seule fois le mot *crétin*. Il fait une pause. Ma planche à roulettes me manque à l'école. Il pousse un soupir. C'est une grosse responsabilité que d'être populaire.

Sophie examine ses ongles. Le vernis commence à s'écailler.

— Je ne sais pas pourquoi tu as laissé Mia te faire ça.

Il soupire.

— Au début, ça paraissait une bonne idée.

— Tu ne vas pas la laisser te teindre les cheveux, n'est-ce pas ?

— J'ai pensé les raser, dit-il. Ou me faire une coupe mohawk.

Sophie ne peut s'empêcher de rire.

— Ah, Jérémie ! Tu n'es pas sérieux.

Il hausse les épaules.

— Et l'idée de Lucie ? Veston-cravate ?

Sophie sent monter en elle une vague de sympathie pour Jérémie. Le voilà... unique en son genre, intéressant, se transformant en une espèce d'être sans personnalité propre. Elle se penche vers lui.

— Ce n'est pas toi. Rien de tout cela n'est toi.

— Qu'est-ce qui est moi, alors? lui demande Jérémie sérieusement.

Éric ouvre la porte et fait un pas dehors.

— Jeff dit qu'il faut que tu rentres. Le souper est prêt.

Sophie se lève.

— Il faut que tu restes toi-même, Jérémie. Le meilleur de toi-même.

Elle a l'impression de se parler à elle-même en même temps et lorsque Jérémie répond : « Je ne sais pas très bien qui je suis », elle doit admettre qu'elle ressent la même chose.

Elle s'apprête à rentrer quand Jérémie l'arrête.

— Tu as laissé échapper quelque chose, lui dit-il en lui tendant un de ses ongles.

Une fois à l'intérieur, elle essaie d'enlever les neuf autres. Rien à faire. Il lui faudra attendre qu'ils tombent tout seuls, un à un.

Voyant sa détresse, Jeff lui donne un tube orange.

— Retire-les avec ça, lui dit-il.

— Qu'est-ce que tu fais avec ça? lui demande-t-elle, surprise.

— C'est un truc que m'a montré Diane, dit-il. Ça sert à plein de choses.

— Jeff, fait Sophie en s'occupant du premier ongle, comment savoir si on change parce qu'on vieillit ou parce qu'on ne vieillit pas?

— Quand on fait soi-même le changement, répond Jeff. Si on sent que c'est ce qui nous convient.

— Comment savoir ce qui nous convient?

— Quand on n'a pas besoin de demander l'avis de quelqu'un d'autre, répond Jeff.

Sophie essuie le maquillage sur son visage, défait son chignon, brosse ses cheveux. Nathalie n'a toujours pas téléphoné. Sophie voudrait l'appeler mais elle ne sait pas quoi lui dire. La seule chose que Nathalie veut l'entendre dire c'est qu'elle a décidé de ne pas aller magasiner avec Antoine samedi.

Elle s'assoit à son bureau et ouvre son journal. Elle regarde longuement la page blanche avant de se mettre à écrire.

Cher journal. Je vais magasiner avec Antoine demain. Je n'en étais pas certaine jusqu'au moment où j'ai dit que je n'allais pas à la fête. Pourtant, si Alexandre n'avait pas dit que j'y allais avec Jérémie, je ne sais pas ce que j'aurais décidé. J'aime être avec mes amis. J'aime être avec Antoine, aussi. Pourquoi la vie est-elle pleine de choix difficiles à faire?

Elle a un autre choix à faire: que va-t-elle porter demain? Sans Nathalie pour l'aider, ce ne sera pas aussi amusant.

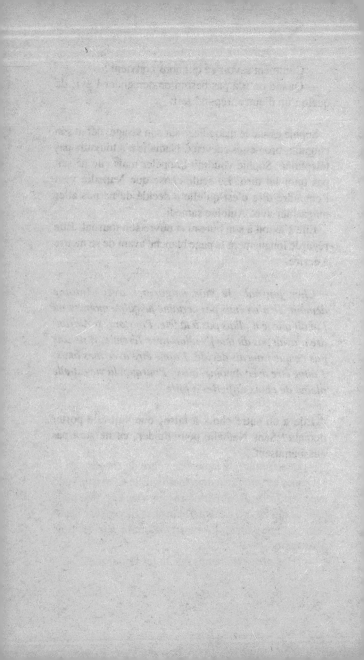

CHAPITRE 16

— Je ne savais pas à propos de la fête, dit Antoine à sa soeur.

De l'autre bout de la table, Denise le regarde.

— Évidemment. Sophie ne t'en a pas parlé. Elle ne voulait pas que tu saches.

— Pourquoi ferait-elle ça? Sophie a toujours les deux pieds bien sur terre.

— D'habitude, oui, le corrige Denise.

— Mais nous sommes amis. Pourquoi voudrait-elle me cacher une chose pareille?

Denise soupire. Parfois, son frère peut être aussi aveugle qu'une taupe.

— Parce qu'elle t'aime! Je te l'ai déjà dit. Et ce n'est pas la seule chose qu'elle t'a cachée. Elle a même raté une réunion du Comité de sauvegarde des baleines pour être avec toi. Et elle porte ces ridicules faux ongles pour ressembler à Guylaine…

— Des faux ongles? l'interrompt Antoine.

— Tu ne l'avais pas remarqué? Oh, Antoine, tu ne sais rien d'elle!

— Je ne remarque jamais ce genre de choses.

Denise se sent prise de remords. Elle a été trop rude avec son frère. Il est peut-être plus vieux qu'elle mais pour ce qui est des relations humaines, il a encore beaucoup à apprendre. Elle met sa main sur le bras d'Antoine.

— Il est peut-être temps que tu les remarques.

— Qu'est-ce que tu veux que je fasse, Denise?

— Ce n'est pas ce que je veux moi, réplique douce-ment Denise en enfilant sa veste en jean. Je dois partir. Je rencontre des amis à l'école. On va ensemble à la fête. J'espère que tu feras ce qu'il faut, ajoute-t-elle en sortant.

Un long moment après le départ de Denise, Antoine reste assis, immobile. Enfin, il décroche le récepteur et compose le numéro de Sophie.

Le coeur de la jeune fille chavire lorsqu'elle répond. Il ne vient plus! se dit-elle.

— Sophie? dit Antoine. Je... euh... je voulais te par-ler. Je me suis dit que tu avais peut-être autre chose à faire aujourd'hui?

— Pourquoi? répond Sophie. Tu ne veux plus aller magasiner?

— Oh, ce n'est pas ça, l'assure Antoine. J'ai juste pensé que si tu étais occupée, on pourrait remettre ça à plus tard.

— Aujourd'hui, c'est parfait, dit-elle.

Pendant le long silence qui suit, Sophie entend son coeur battre.

— D'accord, dit enfin Antoine. J'arrive dans cinq minutes. J'espère que tu n'es pas bien habillée, moi j'ai mis mes vieux vêtements.

Sophie regarde sa robe fleurie et ses souliers de cuir.

— Un jean, ça va? lui demande-t-elle.

— Parfait, répond Antoine.

Sophie se précipite à sa chambre pour se changer. À la dernière minute, elle prend le foulard de Nathalie et le noue à sa queue de cheval.

— Comment me trouves-tu? demande-t-elle à Antoine quand celui-ci arrive enfin.

Il lui sourit. Elle est particulièrement jolie aujourd'hui, avec sa queue de cheval et la couleur naturelle de ses joues.

— Très jolie.

Main dans la main, ils marchent jusqu'à la voiture.

— Savais-tu que Denise n'a dit à personne que sa fête était la semaine prochaine? dit-elle tandis qu'ils commencent à rouler. Je n'ai pas d'idée pour son cadeau. J'espère que tu en as toi.

Antoine la regarde.

— Ça te dérangerait beaucoup si on roulait un peu avant d'aller magasiner? Je voudrais te parler.

Le coeur de Sophie se met à bondir. Que peut-il bien avoir de si urgent à lui dire? Antoine regarde devant lui, silencieux, le regard fixe. Elle se tourne un peu pour mieux le regarder.

Au bout d'un moment, il ouvre enfin la bouche:

— Sophie?

Elle regarde en avant. Il va lui dire qu'il ne veut plus la voir et puis il va la ramener chez elle!

Il s'arrête au feu rouge.

— Sophie, tu es vraiment une fille extraordinaire, dit-il.

Sophie se sent mal à l'aise. Il va lui demander de sortir avec lui!

— Il y a deux semaines, le monde me semblait épouvantable. Et puis tu es arrivée et tout a changé.

Il se tait.

Sophie essaie de se concentrer sur le paysage d'automne aux reflets dorés, mais son coeur bat la chamade. Quoi qu'Antoine dise, elle a peur de ne pas pouvoir réagir comme il faut.

— Ce que j'aime chez toi, Sophie, c'est ton indépendance. Tu sembles savoir qui tu es et ce que tu veux.

— Ce n'est pas toujours le cas, fait doucement Sophie. La plupart du temps je ne suis sûre de rien.

Antoine se met à rire.

— Tu sais où tu vas, crois-moi. Il prend sa main. Elle sent la chaleur de sa main la traverser comme un courant électrique. Si personne ne se met en travers de ta route pour tout faire rater, ajoute-t-il.

Perdue, Sophie lui demande : « Mais qui ferait ça ? »

Il la regarde et sourit.

— Moi ?

— C'est ridicule ! proteste-t-elle.

— Je n'en suis pas si certain. Il retire sa main et la repose sur le volant. Je pense qu'on ne s'est pas bien compris tous les deux. Je t'ai peut-être donné une fausse impression. Je ne voulais pas, mais… Je pense que je te gêne. Je t'éloigne de toutes tes activités habituelles.

Sophie sent la tristesse l'envahir. Elle ouvre la bouche pour protester mais il l'arrête en disant : « C'est vrai, Sophie. »

— Je ne comprends pas, dit-elle.

— Je pense que oui.

Sophie remarque qu'ils sont près du bois où a lieu la fête d'automne.

— Et c'est pour ça que tu vas aller à la fête aujourd'hui, ajoute Antoine en ralentissant. Lorsqu'il aperçoit les amis de Sophie, il gare discrètement la voiture sous un arbre.

Dans le champ, des chevaux impatients piétinent le sol. À côté, Nathalie se tient avec Simon et Johanne. Lucie et Dorothée bavardent avec deux garçons. Dans un autre coin du champ, Valérie organise les courses et Alexandre et Mathieu jouent au football avec d'autres élèves.

Sophie reste silencieuse à regarder la scène. Mais son attention est tout entière concentrée sur elle-même. Elle se demandait comment elle réagirait si quelqu'un qu'elle aimait la délaissait. Eh bien c'est fait ! Et elle ne sait pas ce qu'elle ressent. Elle aime Antoine, elle l'aimera peut-être toujours. Mais en même temps, elle se rend compte qu'elle a envie d'être avec ses amis.

Jérémie apparaît au loin. Il a lancé sa planche à roulettes sur l'asphalte du sentier et, d'un même élan, il a sauté dessus. Sophie se met à rire.

— Un as de la planche ! fait Antoine qui a suivi le regard de Sophie.

— Ça s'appelle faire la bombe, dit Sophie.

— Il est très bon, admet Antoine avec admiration.

— Jérémie est toujours très surprenant.

— Toi aussi, dit Antoine. C'est pour ça que j'espère qu'on pourra rester… amis ?

Sophie tourne son regard vers lui.

— Ce n'est pas ce que nous sommes en ce moment ?

— C'est tout un processus, qui ne s'arrête jamais, Sophie.

Sophie sourit.

— Tu crois qu'on sera toujours amis ?

— Je l'espère, en tout cas, fait Antoine en souriant.

C'est merveilleux ! Quoi qu'il arrive, ils pourront toujours compter l'un sur l'autre.

— On se serre la main?

Antoine prend la main de Sophie et la garde dans les siennes.

— On peut faire encore mieux, dit-il. Et il l'embrasse.

Un baiser rapide mais réel. Un vrai baiser. Un baiser qu'elle n'oubliera jamais.

Sans rien ajouter, elle sort de la voiture et se dirige vers ses amis.

— Nathalie! crie-t-elle.

Nathalie lève la tête, prend quelque chose sur la table à côté d'elle et court vers Sophie.

Elles s'embrassent en riant.

— Je t'ai ramené ton foulard, dit Sophie.

— Garde-le, il te va si bien! s'exclame Nathalie. Elle l'embrasse de nouveau. Je savais bien que tu changerais d'idée! Je t'ai amené ceci.

— Mon T-shirt! s'écrie Sophie. IL Y A TANT DE CHOSES À FAIRE… ET SI PEU DE TEMPS POUR LE FAIRE, lit-elle tout haut. Parfois, il faut juste un tout petit peu de temps. Et ça peut changer ta vie. En enfilant le T-shirt, elle remarque que la voiture d'Antoine est toujours là. Elle lui envoie la main.

— Sophie? demande Nathalie. Tu vas bien?

Sophie se retourne. Elle est tellement chanceuse d'avoir une si bonne amie!

— Plus que bien, répond-elle. Après tout, rien ne sert de pleurer sur son sort. La vie continue.

— Facile à dire, dit Nathalie d'un ton solennel.

Sophie se met à pouffer de rire.

— Tu devrais le savoir! C'est toi qui l'as dit en premier!

D'un même élan, elles se mettent à courir vers leurs amis.

Dans le même collection

- Vive la liberté! . . .
- Ah, ces filles! . . .
- Et c'est parti! . . .
- Quelle comédie! . . .
- Soyons copains! . . .
- Quel acrobate! . . .